Land van herkomst

René ter Steege

# Land van herkomst

## Argentinië en Máxima

Met een bijdrage
van Hans Vogel

Van Gennep 2001

© 2001 René ter Steege / Uitgeverij Van Gennep bv,
Nieuwezijds Voorburgwal 330,
1012 RW Amsterdam
De rechten van de afzonderlijke bijdrage
berusten bij dr H.Ph. Vogel.
Boekverzorging Hannie Pijnappels
Omslagfoto Máxima ANP
Omslag boven midden AP Press
Omslag boven rechts
Fiora Bemporad/National Archives
Fotoverantwoording binnenwerk:
2. Eduardo Gil; 4. Fiora Bemporad;
7. Benelux Press; 9. AP Press;
11. Associated Press/Topham;
12. Benelux Press; 13. AP Press; 14. ANP
Uitgeverij Van Gennep heeft niet alle
rechthebbenden van de foto's kunnen
achterhalen. Rechthebbenden wordt verzocht
contact op te nemen met de uitgeverij.

ISBN 90-5515-301-X / NUGI 641

# Inhoud

# Deel 1

# I

# Europeanen in ballingschap

Groot is nog steeds de cultuurschok voor Europeanen die voor het eerst, per bus vanaf het vliegveld Ezeiza, aankomen in het hart van Buenos Aires. De 'koningin van de Río de la Plata' voldoet bijna nergens aan het beeld dat Europeanen zich mogelijk van de stad hebben gevormd. Het is niet wat wij ons voorstellen van een Latijns-Amerikaanse stad. Vooral in het centrum zijn bijna alle mensen er blank. Ze gaan eleganter gekleed dan bij ons en de straten zijn veel en veel schoner. Dát is de schok van de eerste kennismaking, die later, in de verre provincies, nog vies zal tegenvallen: veel Argentijnen leven beter dan Europeanen, ondanks alle slagen die zij en hun land moesten incasseren.

Argentijnen heten lang niet altijd González of Martínez, maar ook Guthrie of Druskovic. 's Lands populairste zangeressen zijn Valeria Lynch en Sandra Mihailovic. De bekendste politieke commentator van de krant *Clarín* heet Eduardo van der Kooy. Abrasha Rotenberg schreef een boek over het inmiddels verdwenen dagblad *La Opinión*. Even ten zuiden van Buenos Aires ligt het plaatsje Kloosterman, genoemd naar Dirk Kloosterman, een vakbondsleider van Nederlandse afkomst die in de jaren zeventig werd doodgeschoten door linkse peronisten.

Deze verwarring is te danken aan de stamvaders van Argentinië: zij wilden van hun land een neo-Europa maken, steunend op de ideeën van de Verlichting en de Franse

Revolutie. Later werden de jonge Verenigde Staten een voorbeeld. De belangrijkste straten, pleinen en boulevards zijn vernoemd naar de stichters. Naar José de San Martín, dé held van de onafhankelijkheidsstrijd tegen de Spanjaarden aan het begin van de negentiende eeuw. Naar Domingo Fausto Sarmiento, ook al een vrijmetselaar, die het katholicisme van de Spanjaarden 'obscurantistisch' vond. Hij wilde geen latino's uit landen rond de Middellandse Zee, maar mensen uit overwegend protestantse landen die volgens hem beter van aanpakken wisten. 'Gobernar es poblar' (regeren is bevolken) bleef de leuze tot ver in de negentiende eeuw, toen de Argentijnse staatsvorming gestalte kreeg.

De Noord-Europese immigranten kwamen wel in groten getale: Engelsen, Ieren (hoewel katholiek), Zweden, Duitsers en soms ook wat Nederlanders. Argentijnse agenten haalden in Rusland en Oost-Europa bovendien enorme aantallen joden over om naar de andere kant van de wereld te verhuizen, waar ze alle rechten kregen die hun thuis werden onthouden. 'Argentinië was voor de joden in die jaren een paradijs,' aldus Uri Sevi, de directeur van het Joods Museum in Buenos Aires. 'Ze werden er veel beter behandeld dan in de Verenigde Staten.'

Joodse burgers drukken nog steeds een stempel op de Argentijnse samenleving; zo'n tien procent van de bevolking van de kern van Buenos Aires, de voorsteden niet meegerekend, geldt als joods.

Nog talrijker onder de immigranten waren de 'bijgelovigen', zoals Sarmiento zei: Sicilianen, Andalusiërs en Galiciërs. De immigratie uit Italië was in de periode onmiddellijk na de Eerste Wereldoorlog enorm en stelde die uit Spanje in de schaduw. Argentinië is nog steeds veruit het meest 'Italiaanse' land van Zuid-Amerika, en Buenos Aires de meest Italiaanse stad met meer pizzeria's dan Rome en Napels bij elkaar. De beste pizza's van Buenos

Aires vindt men in de restaurants van de keten Los Inmortales, genoemd naar onsterfelijke tangohelden als Carlos Gardel.

De Italianen konden ermee door, maar voor de vorming van een elitevolk was een betere stam gewenst. Onder Juan Domingo Perón, hoewel zelf van Italiaans-indiaanse afkomst, werd het Italianen verboden op grote schaal uitgaven in de eigen taal te verzorgen, omdat daarmee de positie van het Spaans in de verdrukking kwam. Ook zei hij, aan het begin van de jaren vijftig, op het hoogtepunt van zijn macht: 'We hebben in Argentinië echt geen Napolitaanse obers meer nodig, liever zien we noorderlingen komen.'

Peróns denigrerende opmerkingen over Napolitaanse kelners is des te vreemder, omdat hij en zijn (tweede) vrouw Eva – bekend als Evita – steeds konden rekenen op wat de blanken de 'cabecitas negras' noemden, zwarthoofdjes, de land- en industriearbeiders, vaak afkomstig uit de 'indiaanse' provincies aan de grens met Chili en Paraguay.

De zwarthoofdjes wisten niet wat ze zagen als ze naar het verre Buenos Aires kwamen om te demonstreren, een stad waar de stamvaders van Argentinië en de rijke 'aristocratie' een lustoord van hadden gemaakt. Nog altijd zijn de sporen daarvan te zien, vooral in de wijk Recoleta.

Hoewel de Italiaanse immigranten aanvankelijk niet met open armen werden ontvangen, wordt de president van Italië nog steeds een beetje als het staatshoofd van Argentinië gezien. Bij een bezoek in maart 2001 aan Buenos Aires en Rosario gaf president Carlo Azeglio Ciampi de Argentijnse bestuurders allerlei adviezen om de economie uit het slop te halen, deelde schouderklopjes uit en had hier en daar wat bedekte kritiek. Zo'n optreden had hij zich elders niet kunnen veroorloven.

Het onderscheid tussen de rassen speelt in Argentinië een rol bij de duiding van klasse en afkomst, maar lang niet in zo'n sterke mate als in de vs of Europa. Argentijnen mogen zich dan, in meerderheid, blank en Europees wanen, ze kozen wel Carlos Saúl Menem, een zoon van arme Syrische immigranten, tweemaal tot president. De 'bourgeoisie' sprak daar schande van, zeker toen Menem zich nog tooide met lange bakkebaarden, naar het voorbeeld van een van zijn helden, de negentiende-eeuwse gaucho-leider Facundo Quiroga. 'Moet zo'n figuur ons land in de wereld vertegenwoordigen?' stond er te lezen op posters onder Menems afbeelding, in de campagne voorafgaand aan zijn eerste verkiezingsoverwinning in 1989. 'Straks worden we bestuurd door Ali Baba en de veertig rovers.'

Een donkere huidskleur wordt in Argentinië nogal eens geassocieerd met Latijns-Amerika, waar Argentijnen zich eigenlijk niet thuisvoelen. Hun land had de keus tussen beschaving en barbarij, schreef Sarmiento. Met beschaving bedoelde hij Europa, met barbarij Zuid-Amerika.

Buenos Aires is nog steeds geen Latijns-Amerikaanse stad als Lima of Caracas, waar een kleine bovenlaag van blanken de dienst uitmaakt. In Buenos Aires zijn ook de schoenpoetsers blank, de obers en de dienstmeisjes, sinds enkele jaren ook nogal wat bedelaars. Ze kunnen zich nog wat verheven voelen boven die 'Zuid-Amerikanen' in de provincie, met wie ze weinig gemeen zeggen te hebben. Buenos Aires is in Argentinië de eerste wereld, steden als Rosario en Córdoba de tweede en verre provincies als de Chaco en Salta de derde, hoor je vaak.

De porteños, zoals de burgers van Buenos Aires zich noemen, heten de gast uit Europa in de regel van harte welkom. Niet als een vreemdeling, maar als een soort landgenoot. Vaak zal de onvermijdelijke zin vallen: 'Somos europeos' (Wij zijn Europeanen). Wie gecultiveerd wil lijken, zal een frase aanhalen van Jorge Luis Borges, die voor elke gelegenheid een quote heeft: 'Argentijnen zijn Europeanen in ballingschap.'

De porteños verwachten dan altijd een tegengebaar, een bewijs dat die mensen uit Nederland, Duitsland of Engeland hen als gelijken zullen begroeten. Dat komt maar zelden voor. De kennis over Argentinië is, buiten Zuid-Amerika, over het algemeen gering. Veel Europeanen zien het land als een toevluchtsoord van nazi's, dat eigenlijk nooit heeft gedeugd, en nog tot in de verre toekomst synoniem zal zijn aan vermisten (desaparecidos) en dictatuur.

De Argentijnen worden daar wat bedroefd van. Onder de zwakke president Fernando de la Rúa, op 10 december 1999 aangetreden, werd de stemming nog slechter door de aanhoudende economische crisis. Het nieuws over de verloving van Máxima en Willem-Alexander hielp de bevolking niet uit de put. De politieke chaos en de werkloosheid drukten de sfeer nog verder. Daarbij vinden Argentijnen dat ze eigenlijk recht hebben op een goed, gemakkelijk leven in een land met een naam die doet dromen: het land van zilver, gelegen aan de Río de la Plata, de rivier van zilver. Het enige land in het hele werelddeel, bovendien, met een grote, redelijk welvarende middenklasse, al is die sinds de jaren zeventig, toen de klad kwam in de Argentijnse versie van de welvaartsstaat, afgedaald tot het niveau van een lompenbourgeoisie.

Het steekt Argentijnen dat zij nogal eens worden bestookt met kwaadaardige clichés. Dit volk, ruim 35 miljoen mensen, heeft wat compassie nodig. In 1910, bij het eerste eeuwfeest van de onafhankelijkheid, behoorde Argentinië tot de zeven rijkste naties ter wereld dankzij de uitvoer van vlees en graan naar Europa, vooral naar Groot-Brittannië. Argentinië gold als het enige Zuid-Amerikaanse lid van het British Empire, al konden de Britten zich de moeite van een officiële kolonisering besparen. Argentinië annexeerde zichzelf aan de toen dominante Europese grootmacht. De Britse invloed is nu nog merkbaar. Zo woonde Jorge Videla ooit met zijn vrouw, Alicia Hartridge, in het plaatsje Hurlingham, even buiten Buenos Aires. Hurlinghams cricketteam speelt in de top van de landelijke competitie.

Tot ruwweg het begin van de jaren dertig bleef het Argentinië voor de wind gaan. Een zekere aristocratie, vaak afstammelingen van de eerste Spaanse kolonisten, wilde meer dan enkel 'de edelman' zijn, zoals bijvoorbeeld de adel in Chili of Peru. Het waren reislustige kosmopolieten, die de beste bouwmeesters uit Europa overhaalden zich in Buenos Aires te vestigen en de stad te verfraaien naar het voorbeeld van Parijs, Londen en Madrid. Geleerden van allerlei slag, kunstenaars en schrijvers namen een voorbeeld aan Europa, daartoe in staat gesteld door de genereuze beurzen van de 'beef barons'.

Volgens een veel gehoorde opvatting ging het mis in 1930, bij de eerste militaire coup, gepleegd door de Bask José Felix Uriburu. Extreem-rechtse elementen verdreven de liberale politici en Argentinië werd gaandeweg steeds Latijns-Amerikaanser, met al die coups en tegencoups.

In de jaren zestig en zeventig wisselden militairen en burgers elkaar in een razend tempo af. Vanuit zijn Madrileense ballingschap leidde Juan Perón het 'verzet', totdat hij van de militairen in 1973 mocht terugkeren in de aanzwellende politiek-militaire chaos waar Argentinië zich op dat moment in bevond.

Ondanks alle ellende kent Argentinië echter nog steeds zijn gelijke niet in Zuid-Amerika. Het is een enorm uitgestrekt land, met jungle, pampa's, de Andes, badplaatsen die zich kunnen meten met de beste uit Europa, als ook met een zekere pastorale levensstijl, die in buitenwijken van Buenos Aires als Palermo al tastbaar wordt.

Dat de inwoners van Buenos Aires gehecht zijn aan

hun stad, wordt duidelijk wanneer ze spreken over hun barrio, de wijk waarin ze opgroeiden. Dan komt tot uiting wat een smeltkroes van beschavingen Argentinië is. Immigranten uit alle hoeken van de wereld zijn er misschien beter geïntegreerd dan in de Verenigde Staten. In Buenos Aires bestaan niet echt wijken waar één bepaalde nationaliteit een soort alleenrecht kan opeisen, zelfs niet in de overwegend 'Italiaanse' buurt La Boca of rondom de verder zeer 'Spaanse' avenida de Mayo. Tussen de verschillende buurten is hooguit een goedmoedige rivaliteit te bespeuren, naast de gezamenlijke liefde voor de stad.

Psychoanalyticus Hector Yankelevich beschrijft in zijn bijdrage aan een boek vol lofzangen op Buenos Aires een gedeelte van de wijk Palermo, een wijk waar ook Borges veel heeft rondgedwaald en die hij regelmatig liet terugkeren in zijn verhalen. 'Zoals elke porteño van een bepaalde leeftijd ben ik in mijn barrio ook opgegroeid met een Spaans gesproken in tal van accenten. In mijn buurt was de slager een Engelsman, de schoenmaker een Griek, de kruidenier kwam uit Asturië, de conciërge van ons flatgebouw kwam uit Calabrië. Natuurlijk was de baas van de wasserij een Japanner, de banketbakker had zijn zaakje volgehangen met foto's uit Piemonte.

De man die bij het stationnetje de spoorbomen beheerde, kwam uit Sicilië, de kleermaker en de juweliers waren Poolse joden. De zwarte baret van de melkman duidde op een Bask, Syrisch-Libanezen beheerden het garen- en bandwinkeltje. De directeur van de lagere school met zijn prachtige zwarte, glanzende haar, strak achterover gekamd, en zijn donkere huid was half indiaans, half Spaans. De eigenaar van het loodgietersbedrijfje had zijn Franse familienaam groot op de ruit laten schilderen. De man die meestal voor zijn winkeltje met huishoudartikelen zat, zei altijd een Rus te zijn, maar dan een echte. [Met ruso wordt in het Argentijnse Spaans nogal eens een

Oost-Europese jood aangeduid.] En dat allemaal binnen een oppervlak van een paar huizenblokken. De straten dragen er namen als Billinghurst, naar een Britse diplomaat, Jean Jaurès, de Franse socialist, Mansila, de man die in de woestijn tegen de indianen vocht.'

Sinds de terugkeer van de democratie eind 1983 heeft het stadsbestuur veel gedaan om de overgebleven sporen van het verleden te redden, vaak in de hoop er ook buitenlandse toeristen mee te trekken. Die komen wel, maar zeer mondjesmaat. Buenos Aires is immers niet pittoresk, bezit niet de gemakkelijke schoonheid van bijvoorbeeld Rio de Janeiro. Buenos Aires is veel moeilijker te doorgronden.

Een paar cuadras (huizenblokken) verwijderd van bijna altijd drukke avenida's als Córdoba, Rivadavia en Santa Fe zijn de straten vaak al niet meer geasfalteerd, maar geplaveid met kinderhoofdjes. Het zijn buurten met bomen waarvan de bladeren als een koepel beschutting bieden tegen de zon, voortpuffende oude auto's, uiterst sobere cafés met op de tafels nog sifons spuitwater, de geur van een parrillada (barbecue), tango uit transistors en de scharensliep die langskomt op zijn fiets. De mensen gaan er veelal conformistisch gekleed en Europese en Amerikaanse toeristen in hun korte broeken worden meewarig, of geërgerd, nagestaard.

De Franse journalist, schrijver en diplomaat Pierre Kalfon: 'Zo men wil, is Buenos Aires een lelijke stad, maar kijk uit, het is een stad met een ziel. Wie daar de toegang toe vindt, is verzekerd van een liefde voor het leven. Buenos Aires is misschien niet mooi, maar ze bestaat bij de gratie van haar bewonderaars, en dat zijn er nog heel wat. De stad lijkt op een vrouw waarop mannen verliefd worden zonder dat ze kunnen zeggen waarom. Het is dan ook nooit liefde op het eerste gezicht.'

Buenos Aires was lang een veilige stad. Maar sinds kort klagen de porteños over de sterk gestegen misdaad, het verval van welvarende buurten, het groeiend aantal daklozen en de immigratie van 'donkere' Bolivianen, Paraguayanen en Chilenen. Kranten wijden grote stukken aan die voor Buenos Aires recente verschijnselen.

De wijk Recoleta, de wijde omgeving van het gelijknamige kerkhof, strijdt met succes tegen het verval. Máxima is hier opgegroeid. Hier en daar is het een buurt voor de rijken, de aristocratie. Elders, zoals in de calle Uriburu waar Máxima's ouders hun flat hebben, valt er weinig indrukwekkends te zien. In de tweede helft van de jaren negentig maakten de bewoners van deze straat voor het eerst kennis met het exportland Nederland. De komst van de supermarkt Disco, eigendom van Ahold, heeft het straatbeeld geen goed gedaan. 'There goes the neighbourhood,' zullen de buurtbewoners wel gedacht hebben.

Toch is de Recoleta een verademing na het drukke, door uitlaatgassen vergiftigde centrum. Het leven begint er te lijken op de volksere buurten verder naar het noorden en westen, maar met die discrete charme die uniek is voor juist deze wijk. De portiers van de flatgebouwen gaan er vaak gekleed in een donker pak, geen peuk blijft langer dan een minuut op het trottoir liggen.

Mensen snellen voort met vijftien honden aan knap bij elkaar gehouden lijnen. De rijken, of zij die zich zo voordoen, blijken een voorkeur te hebben voor poolhonden en Deense doggen. Hier vind je winkels met benodigdheden voor polo en met peperdure haute couture, vooral in de schitterende galerij van hotel Alvear Palace aan de avenida Alvear, het meest aristocratische stukje Buenos Aires.

Elke grote stad in Zuid-Amerika kent wel een buurt voor de rijken, maar de Recoleta is alleen door zijn enorme omvang al uniek. Elders worden chique buurten veelal bevolkt door, zoals ze in Chili zeggen, mummies: stokoude rijkaards die aan de hand van een indiaans dienstmeisje voortschuifelen naar de tearoom voor de dagelijkse thee of cappuccino.

's Avonds kijken mensen uit het egalitaire West-Europa hun ogen uit in de Recoleta, want de Argentijnen zijn dol op uitgaan in hun mooiste kleren. Veel dames die in de rij staan voor de bioscoop aan de rand van het kerkhof, zien eruit alsof ze naar een voorstelling gaan in het Teatro Colón.

Vrouwelijke bezoekers uit het buitenland zijn vaak aangenaam verrast door de galante porteños. Argentinië is het minst machistische land van Zuid-Amerika, stelde columniste Juliet Young onlangs vast in *The Buenos Aires Herald*. In de subte, de ondergrondse van Buenos Aires, was het meermalen voorgekomen dat een man voor haar was opgestaan. Dat was haar in Londen, haar geboortestad, nog nooit overkomen. Ze stoft een oud cliché af, dat van porteños die Spaans spreken, zich kleden als Fransen, Italiaans eten en Engelse manieren hebben. 'Vreemd genoeg heeft Buenos Aires, helemaal aan het andere einde van de wereld, weten te bewaren wat Londen heeft verloren.'

De avenida Santa Fe is vlakbij. Hier bevond zich de bioscoop Gran Rex, die nauwelijks te onderscheiden was van een theater, met veel donkere tapijten en met goudverf versierde balkons. Inmiddels is er een boekwinkel met een ruim assortiment Franse en Engelstalige boeken voor in de plaats gekomen. De jonge verkoopsters zien eruit alsof ze elk moment de catwalk kunnen betreden.

Midden jaren negentig gaf een café in de Recoleta aanleiding tot een discussie: mag een man van middelbare leeftijd op een snikhete dag zelf uitmaken wat hij draagt? De professor in kwestie was gehuld in een mouwloos T-shirt en werd daarom niet bediend. Hij schreef een boze brief naar een krant over deze schandelijke discriminatie, maar de meeste lezers, zo bleek uit de vele ingezonden brieven, vonden dat de man terecht op zijn nummer was gezet.

Rond die tijd bemoeide ook burgemeester Fernando de la Rúa zich met de kwestie van kleding in de hitte. De la Rúa, de latere president, was uitgevallen naar al die mensen die 'halfnaakt' lagen te zonnen in de parken. Dat hoort niet, vond hij. Argentijnen, vooral de porteños, hechten aan een zeker decorum. Zelfs een verkoper van koffie en cola in de Recoleta draagt een – weliswaar verfomfaaid – kostuum en trakteert iedere klant op een voorgedragen gedicht.

Argentijnen klampen zich vast aan een op ons ouderwets overkomende levensvreugde, voor zover hun inkomsten het tenminste nog toelaten. De meesten zijn nooit in Europa geweest en denken dat daar nog steeds zulke prachtige cafés, muziektempels en restaurants uit de belle époque staan als in Buenos Aires. Niet voor de toeristen, die komen er nauwelijks, maar voor de doorsnee-Argentijnen tijdens een avondje uit.

Op zo'n avond kunnen ook buitenlanders in contact komen met de 'argentinidad', de manier waarop Argentijnen zich écht uitleven in hun zo moeilijk te vatten identiteit. Daarbij hoort natuurlijk een tango-spektakel. 's Lands grootste tangoheld, Carlos Gardel, is al ruim zestig jaar dood, maar nog steeds schallen zijn successen door de straten van Buenos Aires. 'Als Carlitos "Volver" zingt, of "Mano a mano", pinken de krantenjongen en de professor een traan weg,' schreef Pierre Kalfon.

Dat Gardel mogelijk uit Uruguay kwam, en de onwettige zoon was van een wasvrouw uit Toulouse, dus geen volbloed Argentijn, daarover dient men te zwijgen. Gun die mensen iets eigens, en wees ook zo discreet niet op te merken dat tal van de vaders des vaderlands het in Argentinië niet uithielden en in ballingschap gingen, met de held van de onafhankelijkheid, José de San Martín voorop. Hij stierf in Frankrijk.

Het wegwillen uit Argentinië hoort net zo bij de argentinidad als de heimwee, bezongen in Gardels misschien wel mooiste tango Volver (Terugkeren). El exilio, gewenst of gedwongen, het is de bestemming van veel Argentijnen. In de krant *Clarín* rekende een schrijver het 'nomadisme' tot de essentie van de Argentijnse ziel. Parijs was ooit hét grote voorbeeld van de aristocratie, maar gaandeweg kwamen de Argentijnse ballingen ook uit andere sociale lagen: intellectuelen die voor al die legercoups op de vlucht sloegen, dictators als Perón die zelf het land uit werden geschopt, en wereldberoemde Argentijnse schrijvers als Borges, Manuel Puig en Julio Cortázar die het verkozen om ver van hun vaderland te sterven. Zelfs de man die het andere, indiaanse, niet-Europese Argentinië belichaamde, de zanger en gitarist Atahualpa Yupanqui, vond het beter in Franse ballingschap te gaan.

Argentinië is trots op die grote namen, maar het is wrang dat iedereen wegwilde. De culturele elite eert de schrijver Héctor Biancotti, die alleen nog maar in het Frans schrijft en is opgenomen in de Académie Française. Zelden lees je de ware reden van Biancotti's vertrek: hij werd wegens zijn homoseksualiteit lastig gevallen tijdens het eerste regime van Juan Perón. Deze ballingen keren in de regel nooit terug, of hooguit voor een paar dagen, op verzoek van een uitgever. Ze zeggen dan altijd dat ze Buenos Aires vreselijk missen, maar nooit genoeg om er voorgoed terug te keren.

In de odes aan Buenos Aires klinkt vaak een zekere melancholie door. De schrijver Alvaro Abos deed in *Clarín* verslag van zijn wandelingen en mijmeringen op de plaza San Martín, een heerlijk plein met de mooiste ombús, die typische pampabomen met oneindige takken.

Als hij klaar is met zijn lofzang, zakt hij toch weer weg in een lichte depressie: 'Hebben wij deze prachtige stad gemaakt, omdat we er niet in zijn geslaagd een grote natie te doen ontstaan?'

Abos vindt dat Buenos Aires zich voedt ten koste van de rest van het land. Die rest, vaak donker van huidskleur, komt steeds dichterbij en heeft de zuidelijke flank bereikt van de plaza San Martín, richting het station Retiro: 'Een enorme menigte heeft er bezit genomen van de toch al smalle trottoirs, ze verkopen dezelfde rotzooi die we zien in zoveel andere Latijns-Amerikaanse steden. Zonnebrillen voor een peso, broodjes, foto's van voetbalsterren, dit alles luidkeels aangeprijsd aan de reizigers. Zij die naar de betere voorsteden gaan, zoals het exclusieve San Isidro of het aristocratiche Acassuso, strenge executives en vrouwen in mantelpakjes die hun airconditioned kantoren net hebben verlaten, lopen duidelijk huiverend door deze hel uit de derde wereld.'

De welvarende, elegant geklede porteño is voor provincialen iemand uit een andere wereld. 'We hebben een situatie geschapen waarbij een Argentijn zich een vreemdeling kan wanen in zijn eigen land,' schrijven José Eduardo Abadi en Diego Mileo in *No somos tan buena gente* (Wij zijn niet zulke goede mensen). De rest van de wereld vereenzelvigt Argentinië met het platteland, met de pampa's, gaucho's, onafzienbare graanvelden, niet met de inwoners van 's lands enige grote stad. 'Altijd hebben we erkend willen worden om onze cultuur, ons intellectuele en wetenschappelijke peil [...] maar de wereld beschouwt ons slechts als een land dat graan en vlees exporteert.'

De schrijvers van dit veel verkochte boekje vervolgen: 'Nu pas merken we dat we altijd naar het buitenland zijn gegaan om daar van alles en nog wat te kopiëren, over te brengen naar ons land aan het andere eind van de wereld. Onze illustere voorouders waren ervan overtuigd dat op ons eigen grondgebied niets behoorlijks, duurzaams kon ontstaan.'

Nu Argentinië een dictatuur heeft beleefd die Latijns-Amerikaanser was dan de dictatuur van El Salvador of Guatemala, is de gelijkenis met het zo bewonderde Europa ver te zoeken. Met als resultaat een volk dat ten prooi is aan permanente zelftwijfel. Over dat aspect van de nationale psyche verschijnt het ene boek na het andere.

De auteurs van *No somos tan buena gente* zijn psychologen. Ze staan uitgebreid stil bij de diepe melancholie der Argentijnen, die ook spreekt uit de meeste tango's. Steeds duikt dat probleem met de identiteit weer op. 'De Argentijn ziet zichzelf vaak als een balling, alsof hij een Europeaan is die ooit was gedwongen de Oude Wereld te verlaten, maar ooit zal terugkeren,' schrijven ze.

Als overtuigend voorbeeld van het eeuwige getob met de identiteit noemen de auteurs de dollarisering van de Argentijnse economie. President Carlos Menem en zijn minister van Economische Zaken Domingo Cavallo verlosten het land in 1991 van de gesel van de inflatie. De peso werd gekoppeld aan de dollar. Zo werd de inflatie de kop ingedrukt. Tegelijkertijd werd Argentinië voor buitenlanders schreeuwend duur. Inmiddels kun je in Buenos Aires bijna alles met dollars betalen. De koppeling van de peso aan de dollar heeft de Argentijnen een vals gevoel van eigenwaarde gegeven. Alsof ze door die koppeling echt deel uitmaken van de eerste wereld, alsof hun beduimelde pesobiljetten buiten de landsgrenzen werkelijk iets voorstellen.

Wie er de afgelopen twintig jaar met enige regelmaat is geweest, ziet hoe de economische malaise heeft huisgehouden. 'We beginnen steeds meer op een Zuid-Amerikaanse stad te lijken,' hoor je om de haverklap. 'Het lijkt hier wel Brazilië met al die bedelaars.'

Een vestiging van het Londense Harrods heeft het

lang volgehouden in de calle Florida, al was de leegte er de afgelopen jaren pijnlijk om te zien. Nu heeft ook dat monument uit de jaren vijftig, de glorietijd, de geest gegeven.

Nederland heeft het Argentijnse zelfbeeld de afgelopen tijd nog meer beschadigd: de 'hetze' tegen Máxima en Jorge Zorreguieta – zoals velen het nu eenmaal zagen en zien – heeft gevoelens van minderwaardigheid, verongelijktheid en onzekerheid verder versterkt. Argentinië heeft als enig land in Zuid-Amerika een poging tot loutering gedaan, maar dat is kennelijk niet voldoende.

In zijn boek *Militair geweld, burgerlijke verantwoordelijkheid* komt dr Michiel Baud enkele malen op juist dat aspect terug. Baud werd door premier Wim Kok belast met het onderzoek naar de rol van Jorge Zorreguieta, waarvan de resultaten bekend werden gemaakt op de avond van de aankondiging van de verloving van de prins en Máxima. De hoogleraar schrijft in zijn voor Zorreguieta niet al te gunstige conclusies: 'Nederlandse criticasters van de rol die Zorreguieta tijdens het Proceso, het militaire regime, heeft gespeeld, hebben geen enkele twijfel over de rechtmatigheid van hun oordeel. Binnen de Argentijnse samenleving vinden grote groepen een dergelijke veroordeling onterecht, omdat zij het ingrijpen van de militairen nog steeds als legitiem en noodzakelijk beschouwen. Maar ook onder mensen die de praktijk van het militair bestuur consequent hebben veroordeeld, bestaat soms onbegrip over de Nederlandse houding.'

Michiel Baud, die in het geheim met Zorreguieta heeft gesproken, wekt in zijn boek de indruk de kritiek op Nederland serieus te nemen en het er hier en daar mee eens te zijn. 'Argentijnen vragen zich af op basis waarvan Nederland zich een oordeel durft aan te meten over een andere samenleving, die toch vrij ver is gegaan om haar verleden in het openbaar te verwerken. Men wijst op de Nederlandse financiële en economische steun aan het militaire bewind en de halfhartige politieke houding tegenover de schendingen van de mensenrechten tijdens de periode. Men vraagt zich bovendien af hoe een land als Nederland, dat zelf ook worstelt met zijn eigen meer en minder recente verleden, andere samenlevingen met gelijksoortige problemen zo hard kan veroordelen.'

Terwijl de Argentijnse intellectuelen zich laten meeslepen door discussies over collectieve schuld en de identiteit van hun land, kent de gemiddelde burger andere zorgen: de werkloosheid, de aanhoudende recessie, het gebrek aan daadkracht van de president. De kranten geven iedere dag voorbeelden van allerlei vormen van corruptie.

Dat corruptie ook op buurtniveau plaatsvindt, kan Cristián de Ronde bevestigen. Hij is de zoon van de ooit geniale Nederlandse schaker Christiaan de Ronde. De vader nam kort voor het uitbreken van de Tweede Wereldoorlog deel aan de Olympiade in Buenos Aires en bleef er hangen, aan de kost komend door het geven van Engelse lessen, met Nederlands accent. In 1997 overleed hij in zijn sobere woning in de buurt San Telmo. Tot letterlijk zijn laatste ademtocht weigerde hij een arts te ontvangen.

Zijn zoon meldde de dood van zijn vader bij de politie, waarna beambten hem afpersten: als hij niet snel een paar honderd peso, ofwel dollar, zou overleggen, zouden ze hem het leven zuur maken door justitie in te schakelen. 'De dood van mijn vader kwam hun zogenaamd verdacht voor. Het woord van die agenten weegt zwaarder dan het mijne. Om ons een hoop extra ellende te besparen moesten mijn moeder en ik het geld snel bij elkaar zien te krijgen.' Pas later hoorde Cristián dat de begrafenisonderneming de gewoonte had lijken na de begrafenis uit de kist te halen, zodat de kist opnieuw kon worden verkocht.

Cristián zal zich voegen bij de enorme uittocht van hoog opgeleide jonge Argentijnen, weg uit het land dat ooit een belofte inhield voor immigranten uit Europa. In eigen land kan hij geen werk als natuurkundige vinden en hij heeft geen zin in een sappelend bestaan als taxichauffeur. Voor de consulaten van vooral Italië en Spanje staan lange rijen aspirant-emigranten die terug willen naar wat ze beschouwen als hun land van herkomst, al zijn ze er in de meeste gevallen nooit geweest. Voor een visum dienen bewijzen op tafel te worden gelegd van de binding met het land in kwestie, waardoor de markt voor vervalste stambomen opbloeide.

Cristián de Ronde verkeert in de waan dat zijn generatie 'verdoemd' is. Vorige generaties dachten echter hetzelfde, ook toen er nog bijna volledige werkgelegenheid bestond, zoals in de jaren vóór Videla's coup. De drang om het land te verlaten hoort er nu eenmaal bij, Argentinië bevindt zich immers in el culo del mundo, het gat van de wereld. Het staat zo ver af van de eerste wereld waar ze denken thuis te horen. Wat dat betreft is Máxima een typische Argentijnse: zodra ze kon, vertrok ze voor een blitse baan naar een bank in New York om later te belanden in een landje in het noordwesten van Europa met net iets meer inwoners dan Buenos Aires en omgeving.

## 2

# Aristocratie: verguisd en vereerd

Het chicste deel van Buenos Aires, de 'paleizenwijk' van stadsdeel Recoleta, is in rep en roer. Het stadsbestuur wil een van de markantste gebouwen, het Palacio Duhau, de kopie van een Frans kasteel, verkopen aan een hotelketen. Dan gaat de buurt natuurlijk flink achteruit, is de teneur van boze brieven van omwonenden aan met name de krant *La Nación*. 'Ook al krijgt het hotel vijf sterren, dat kan ons niet schelen,' aldus een woordvoerster van het buurtcomité. 'Dat trekt alleen maar prostituees aan.' Ze heeft in maart 2001 tweeduizend handtekeningen weten te verzamelen van verontruste omwonenden.

De bewoners waren een paar maanden eerder al in verzet gekomen toen de zoveelste rijke oude familie, met een Frans-Baskische naam, haar petit hôtel niet kon onderhouden. Dit juweeltje, met uit Europa geïmporteerde glas-in-loodramen, huisvest nu een winkel van Ralph Lauren. Het moet wereldwijd een van de voornaamste winkels van de hele keten zijn. De klanten praten er niet met elkaar, maar fluisteren, als betrof het een museum.

Met verzet van buurtbewoners wordt keurig omgegaan: er zijn hoorzittingen en inspraakcommissies met bewoners die vrezen dat de verandering van de buurt automatisch achteruitgang betekent. Het land is allang geen dictatuur meer, maar wat betreft de inspraak, krijgen ook hier de bestuurders meestal hun zin.

In het bewuste buurtje, waar de straten Alvear en Posadas elkaar kruisen, woont de pauselijke nuntius in een prachtig paleis, gebouwd door het geslacht Alzaga. Verderop woont, volgens de in donkere pakken gestoken conciërges, in een wat kleiner juweel een oude vrijster moederziel alleen, sinds het overlijden van haar vader.

Zoals het de échte aristocratie betaamt, heeft de Argentijnse adel recht op zijn folies, amusante dwaasheden. Zo verrees in het hart van de provincie La Pampa een Loire-kasteel, compleet met dierentuin en gastenverblijf. 's Avonds bij het haardvuur kan men zich in de clubfauteuils in de bibliotheek even een echte estanciero wanen. Zoals Amerikanen langs de Mississippi de landhuizen van de oude plantagearistocratie in stand houden, zo vindt Argentinië dat de vaak prachtige of bizarre estancias niet verloren mogen gaan.

Het Loire-kasteel van de familie Anchorena wordt door het ministerie van Buitenlandse Zaken gebruikt voor ontvangsten met een beetje decorum. De familie Ortiz Basualdo bezat ooit het kasteeltje in het hart van Buenos Aires waarin nu de Franse ambassade is gevestigd. Het landgoed eromheen is opgeslokt door dure flats en de avenida 9 de Julio, volgens het oude cliché de breedste straat ter wereld. Het gevolg is dat het paleisje er wat verloren bij staat, zonder zijn natuurlijke omgeving uit het begin van de twintigste eeuw. Toch kan dit soort onderkomens de vergelijking met Paleis Noordeinde en Paleis Huis ten Bosch met gemak doorstaan.

Sinds enkele jaren worden er vanuit Buenos Aires excursies georganiseerd naar die ware lustoorden, meestal kopieën van Britse landhuizen, met hier en daar Frans aandoende ornamenten. Gaucho's, al dan niet echt, heten de gasten welkom met een gigantische parrillada, rekken vol roosterend vlees, wijn en demonstraties van gauchosporten als pato, een soort polo voor de gewone man. María Sáenz Quesada beschrijft hoe de bewoners van dit

soort paleizen in de goede oude tijd precies de Britse ritu-
elen volgden voor de vossenjacht, de kleding en zelfs de
inhoud van de picknickmanden.

De meeste aristocraten waren in de jaren veertig en
vijftig één in hun haat jegens Juan en Eva Perón. Later
werkten sommigen mee aan het beramen van de militaire
coup tegen Peróns weduwe Isabel, zijn derde vrouw. Aristocratische namen duiken evenwel in alle geledingen van
de samenleving op. Je vindt Anchorena's onder extreem-
rechtse estancieros, junta-aanhangers en strijders voor de
mensenrechten, Alsogarays bij zowel machtige financiers
als priesters die de bevrijdingstheologie aanhangen. De
grote diversiteit is misschien de charme van de veelvor-
mige bourgeoisie, waar veel gewone burgers toch een
beetje trots op zijn.

De niet altijd discrete charme van de bourgeoisie springt
overal in het oog, eigenlijk al meteen aan de rand van het
altijd hectische centrum van de hoofdstad. Aan de plaza
San Martín, met de vaak eeuwenoude pampabomen, staat
het chicste flatgebouw van de stad, het Kavanagh-gebouw
uit de jaren dertig, Zuid-Amerika's eerste wolkenkrabber.

De beroemdste 'traditionele familie' die er woont, is
die van Martínez de Hoz. Een van de bekendste telgen is
José Alfredo, Joe voor zijn Britse en Amerikaanse vrienden. Hij was het die in maart 1976, bij Videla's coup, de
hervorming van de economie op zich nam. Met als resultaat dat hij inmiddels behoort tot de meest gehate mannen van Argentinië, want sinds zijn aantreden ging het
bergafwaarts met 's lands economie. Dat wil althans een
hardnekkig cliché. Chili heeft onder Augusto Pinochet
ook zijn economie geliberaliseerd en daar wél een zeker
succes van weten te maken.

De weg van de plaza San Martín naar het noorden, langs
de Río de la Plata, leidt langs de Aerdenhouts en Wasse-
naars van Argentinië. De ene dure buurt en voorstad na de

andere glijdt voorbij. Eerst de buurten Belgrano en Cogh-lan, dan langs voorsteden als Olivos, waar het Northlands College staat waar ook Máxima haar middelbare-school-opleiding heeft gevolgd, Martínez, San Isidro, Acassuso en Tigre, aan de delta van de Paraná. Elders aan deze ri-vier staan, discreet temidden van hoog geboomte, ko-pieën van Franse kastelen, Britse landhuizen en Italiaan-se palazzo's en landhuizen gebouwd in een mengelmoes van stijlen. De bewaking wordt overgelaten aan privé-on-dernemingen met agenten die minstens zo goed zijn be-wapend als de politie.

Dames uit de society beheren er de zeer zeldzame toe-ristenkantoortjes. Ze zijn uiterst gul met plattegronden, ansichtkaarten, boeken en video's. Buitenlandse toeris-ten zie je er bijna nooit. Helaas nodigt de Plata niet uit tot zwemmen: het roodbruinige water ziet er onaantrekke-lijk uit. De 'leeuwenkleur' is het gevolg van het slib dat de Paraná meevoert vanuit zijn oorsprong in Brazilië. Maar het water is vooral vervuild door de riolering van de elitestadjes.

In San Isidro, een van de rijkste voorsteden van Bue-nos Aires, lopen in het park bedelaressen rond die eruit-zien alsof ze nog steeds in die prachtige huizen wonen. Ze hebben dezelfde haardracht als de plaatselijke dames, de-zelfde nonchalant-chique kleding, dezelfde gelaatstrek-ken. Alleen de wat doffe blik in de ogen en de slijtage van die ooit dure merkkleding verraadt hun jammerlijke staat.

De flat van de familie Zorreguieta is niet ver van de paleizenwijk vandaan, maar wel in een wat minder deel van de Recoleta. Volgens Juan Alemann, eveneens onder-minister in de eerste jaren na militaire coup van 1976, be-hoort de familie niet tot de aristocratie. 'Nee, want Jorge heeft weinig land,' verklaart hij.

Een ander argument tegen Zorreguieta's lidmaatschap van de hogere klasse is dat hij gewoon moest werken en in zijn eerste baan onderaan bij de douane begon. Een echte aristocraat in Argentijnse stijl zal daar niet over piekeren. Hij wil best werken, misschien zelfs bij de douane, maar zal dan wel als directeur beginnen en eindigen. Toch heeft de Argentijnse adel absoluut geen problemen met de toelating van gewone burgers tot hoge posten. Een waar kenmerk van de Argentijnse noblesse is dat ze zich, net als de adel in Europa, verplicht voelt iets nuttigs te doen voor het vaderland, als dank voor de in de schoot geworpen rijkdom en goede afkomst.

Tot de echte aristocratie behoren alleen families met oud geld die bovendien enorme stukken land in bezit hebben, vaak geschonken tijdens de Spaanse kolonisatie. Een echte Argentijnse aristocraat is bijna altijd ook een estanciero, iemand die een deel van zijn tijd doorbrengt in een estancia, een luxueus onderkomen op een vaak enorm uitgestrekt stuk land.

Het geslacht Zorreguieta, waarvan de stamvader José Antonio aan het eind van de achttiende eeuw uit Spaans Baskenland naar Zuid-Amerika emigreerde, komt in de buurt van de 'hoogste klasse', maar maakt er niet echt deel van uit.

Jorge Zorreguieta wordt door de één gerekend tot La Alta, de hoge bourgeoisie, door een ander tot de gewone bourgeoisie. Bij zulke differentiaties blijkt steeds weer een bepaalde, zeer Argentijnse en Britse obsessie met het begrip 'klasse'. Naar de mening van deskundigen is de familie Zorreguieta niet echt bourgeois, maar kan ze wel worden gerekend tot de clase media alta, de bovenste laag van de middenklasse.

'Ik kende hem als vakminister, niet als lid van de traditionele elite,' zegt María Sáenz Quesada in het rommelige kantoortje van het tijdschrift *Todo es Historia*.

Deze in Argentinië zeer populaire historica heeft een van haar vele boeken gewijd aan de estancieros. Volgens haar is er een derde reden om Zorreguieta niet tot de aristocratie te rekenen: hij heeft geen rol gespeeld in de ontstaansgeschiedenis van het land. Sáenz Quesada verwijst naar de negentiende eeuw, toen immigranten de kans kregen een zekere adellijke titel te verwerven door land in te nemen in afgelegen streken, die tot omstreeks 1860 vaak nog werden bewoond door indianen. Veel indianen verzetten zich hevig, maar het leger van generaal en latere president Julio Roca hielp de kersverse grootgrondbezitters een handje om de Argentijnse staat van de grond te krijgen. Nog steeds zijn in de provincie Buenos Aires bij estancias en andere gebouwen uit de tijd van de 'verovering van de woestijn', de pampa, de stenen te zien waarmee de grens van de op de indianen veroverde grond werd aangegeven.

Veel Basken profiteerden van die gulheid ter versterking van de uitgestrekte staat en danken er hun razendsnelle stijging op de maatschappelijke ladder aan. 'Van de Argentijnse presidenten is 28 procent van Baskische origine,' zegt een trotse archivaris van de Fundación Vasco Argentina Juan de Garay, de Baskisch-Argentijnse vereniging waarvan Jorge Zorreguieta voorzitter is. (De Bask Juan de Garay geldt als de man die op 11 juni 1580 Buenos Aires stichtte. Eerdere pogingen waren mislukt: de moedige Spaanse avonturiers kwamen om van de honger of werden door indianen afgemaakt.)

Op het Recoleta-kerkhof, aan het eind van de calle Uriburu zijn die aristocratische namen te zien. Eenieder die een rol heeft gespeeld in de Argentijnse geschiedenis, bezit er een familiegraf. Op de stenen wemelt het er van de Baskische namen zoals Urquiza, Uriburu, Irigoyen, Ortiz, Aramburu en Amuchástegui. Hier ligt ook de in maart 1999 overleden schrijver Adolfo Bioy Casares, een estanciero die weinig of nooit naar zijn landgoed trok, maar liever in zijn flat in de Recoleta vertoefde.

Het kenmerkende van de Argentijnse aristocratie is haar kosmopolitisme. Lang niet alle traditionele families zijn Baskisch; je vindt er ook Engelse en Schotse namen (Bullrich, Guthrie) of Frans-Baskische (Duhau, Fortabat). De familie Di Tella verdedigt de kleuren van Italië, de familie Tornquist kwam lang geleden uit Zweden.

Spaans-Castiliaanse aristocraten zijn waarschijnlijk rijker dan de Basken, zoals de familie van José Alfredo Martínez de Hoz, Zorreguieta's hoogste baas in de eerste jaren van de junta (en getrouwd met Elvira Bullrich). Zijn familie bezit grote delen van de provincie Buenos Aires en stichtte in de jaren zestig van de negentiende eeuw de Sociedad Rural, de invloedrijke club van grootgrondbezitters, veehouders en andere ondernemers met sterk conservatieve en later ook anti-peronistische neigingen.

Dan zijn er nog de puissant rijke Spanjaarden, vaak afkomstig uit Galicië. De familie Paz, oprichter van de krant *La Prensa*, nam op bootreizen koeien mee om het gezelschap van de onmisbaar geachte verse melk te voorzien. 'Riche comme un Argentin', was in Frankrijk lang een door iedereen begrepen uitdrukking. De Argentijnse dandy werd vooral in Parijs een begrip. Louis-Ferdinand Céline wijdt er een paar passages aan in *Voyage au bout de la nuit*, als het vriendinnetje van Ferdinand Bardamu, Célines alter ego, wordt afgepikt door een Argentijnse militair.

María Sáenz Quesada – die Nederland een 'nazi-houding' verweet tegen Máxima en haar vader – oordeelt mild over de machtige families. 'Onze zogeheten aristocratie trok de wereld in, kocht kunstwerken aan, liet de beste architecten van Buenos Aires een van de fraaiste moderne steden ter wereld maken.' Ze ontkent het bestaan van 'de vijfhonderd families' die volgens linkse Argentijnen altijd de dienst in het land hebben uitgemaakt. Dat vindt ze een te simplistische verklaring.

Sáenz Quesada vermeldt een wel zeer Argentijnse paradox: veel burgers mogen graag schelden op de 'oligarchie', de 'plutocratie', de nep-aristocraten en wie al niet, en toch weten ze dat Argentinië zijn aparte, 'Europese' status in Zuid-Amerika juist dankt aan die klasse. De 'generatie van 1880', de rijkelui die de helft van het jaar in Parijs doorbrachten, is een begrip. Daar ontmoetten ze elkaar op de Jockey Club. 'In die Parijse salons voor de elite is deels ook het moderne Argentinië ontstaan. De leden van de oude Argentijnse families vonden alles prachtig wat uit Frankrijk kwam. Hele kastelen werden ontmanteld en in Argentinië weer in elkaar gezet.'

De Argentijnse upper ten deed meer dan Europa alleen maar uiterlijk imiteren. Vertegenwoordigers in de politiek, zoals de Alvears en de Sáenz Peña's, wilden dat hun land de Europese democratische verworvenheden overnam, zoals het algemeen kiesrecht, voorlopig alleen voor mannen. Het Franse stelsel gold, uiteraard, ook hier als voorbeeld.

Hun houding jegens Europa was er niet alleen één van volgzame bewondering. Veel rijke Argentijnen zagen dat de gewone Europeanen veelal in bittere armoede leefden. Het bracht een estanciero tot de uitroep: 'Europa is er, vergeleken met ons, eigenlijk slecht aan toe. Wij zijn het rijkste land, het grootste land ter wereld. Daar in Europa betaal je voor een biefstukje net zoveel als voor een hele koe in Argentinië.'

De Argentijnse betere klassen zijn moeilijk in kaart te brengen. De schrijfster Marta Salinas waagde zich er begin jaren negentig aan in het in Frankrijk succesvolle boek *Buenos Aires, port de l'extrême-Europe*. De echte high society, schrijft ze, bestaat uit de 'oligarchie bovine', families wier fortuin stoelt op hun bezit aan vee en land. De top bestaat uit de erfgenamen van de stichters van de natie. Met een treetje lager een select gezelschap van industriëlen en investeerders die, behalve hun rijkdom, nog iets gemeen hebben: hun families kwamen pas twee of drie generaties geleden naar Argentinië.

Joden nemen in die klassen een prominente plaats in, hetgeen weer eens het oude cliché weerspreekt dat in Argentinië alleen nazi's goed hebben verdiend. Dan volgen de Italiaanse en Spaanse families – ongeveer op gelijke hoogte – en vervolgens de Duitsers en Engelsen. Een andere onterechte beschuldiging is dat de Engelsen vervolgd zouden worden ten tijde van de Falklandoorlog (april - juni 1982). Er werd hen echter geen haar gekrenkt, zeker niet door de anglofiele Argentijnse elite. Het weekblad *Veintidós* maakte wel melding van een kleine botsing op Northlands, de school van Máxima: Argentijnse en Engelse meisjes zouden elkaar tijdens het middageten in de kantine hebben bekogeld met mandarijnen, appels en peren, voordat de onderwijzeressen een eind maakten aan deze voor keurige jongedames onwaardige vertoning.

De redelijk recente leden van de high society staan in hoog aanzien omdat ze veel hebben betekend voor de ontwikkeling van Argentinië tot een unieke samenleving in Zuid-Amerika. Ze beschikken over een zeker raffinement, interesseren zich voor meer dan alleen geld, mooie auto's, paarden en mooie vrouwen. Joodse aristocraten gelden nogal eens als mecenassen.

De Italiaanse familie Di Tella, ook nog niet zo lang in het land, gaat door als een belangrijke uitdrager van de Argentijnse cultuur en heeft een stichting opgericht om wereldwijd wat meer begrip te kweken voor Argentinië. De stichting heeft nog veel werk voor de boeg. Telgen uit dit geslacht vindt men steeds terug in de hoogste geledingen van de Argentijnse staat. Zo was Guido Di Tella onder Menem minister van Buitenlandse Zaken.

Volgens Marta Salinas zijn de dagen van de splendeur van de Argentijnse aristocratie voorbij. De economische veranderingen in de wereld, de talloze crises en de bijna permanente politieke chaos hebben hun tol geëist. Een kenner van de betere kringen weet in een noordelijke buurt van Buenos Aires, Palermo, zelfs een soort opvanghuis aan te wijzen voor oudere, min of meer aan lagerwal geraakte aristocraten.

Toch staan de aristos nog in hoog aanzien, of ze nu rijk zijn of niet. Zij die hun fortuin en bezittingen hebben weten te behouden, vormen nog steeds een kaste apart. In plaats van paleizen en landhuizen bewonen ze vaak enorm uitgestrekte flats in de barrio Norte in Buenos Aires, of in villa's aan de Río de la Plata. De echte aristocraten leiden een sober leven en zijn wars van het showelement dat voor anderen een tweede natuur is. Volgens Salinas geldt in die top van de betere kringen een Britse mentaliteit (of wat men daarvoor aanziet): een stiff upper lip. Geen emoties tonen bij begrafenissen, zelfs huwelijken zijn hier geen vrolijke aangelegenheden.

Parvenu's worden buiten de deur gehouden, of buiten de estancias waar de aristos een betrekkelijk geïsoleerd bestaan leiden. De nouveaux riches nemen hun kinderen mee naar Florida, waar ze na landing meteen doorrijden naar Disney World. De aristos gaan liever naar Europa, waar ze vaak connecties hebben. De telgen van de beste families bekwamen zich later vooral in Frankrijk en Engeland, doen veel aan elitesporten als polo en maken er invloedrijke vrienden voor het leven. Het kost hun geen moeite zich in die kringen te begeven, want al zijn ze volgens de normen in de stamboeken niet van adellijke afkomst, ze doen met succes alsof en niemand zeurt daarover.

Een jonge vrouw als Máxima Zorreguieta, met precies de juiste melange van verlegenheid, zelfbeheersing en zelfspot bewees de prins van Oranje op de dag van de verloving dat je nooit kwaad moet worden als journalisten je stomme of impertinente vragen stellen. Ze spreidde een natuurtalent in omgangsvormen tentoon, verder ontwikkeld door een leven in de Argentijnse society en in buitenlandse bedrijven.

Máxima zei tijdens die eerste kennismaking met de Nederlanders op 30 maart 2001 dat zij erg hecht aan haar familie. In de betere Argentijnse kringen is de familie, het gezin, de clan een bastion, dat in stand moet worden gehouden, onder meer door veel kinderen te baren. Met katholicisme heeft dat weinig te maken, Argentijnen zijn niet zo religieus.

Vrouwen van Máxima's generatie hebben de laatste jaren zekere taboes doorbroken in de echte alta sociedad: ze kiezen, na een goede, praktijkgerichte opleiding, voor een functie bij banken en stellen zich niet meer tevreden met wat Marta Salinas omschrijft als 'decoratieve banen'. Een bekende naam van een traditionele familie is natuurlijk een pre in het bedrijfsleven, maar een Argentijn voelt zich in de regel pas geslaagd als hij het maakt in Europa of de vs. Gelukkig gaat niet iedereen weg. In kranten en tijdschriften komt men vaak namen tegen van telgen uit oude geslachten die voor de journalistiek of de literatuur hebben gekozen. Ook hier geldt dat erkenning door Europa een must is. Silvina Ocampo, de grande dame van de Argentijnse literatuur in de jaren dertig en veertig, was beschermvrouwe en vriendin van grootheden als Borges en Bioy Casares. Maar ze was pas in haar element als ze in haar villa aan de Río de la Plata schrijvers uit Frankrijk kon ontvangen, die in eigen land inmiddels volstrekt zijn vergeten, maar op de literatuurpagina's van *La Nación* nog regelmatig worden genoemd.

De nouveaux riches hebben de wind in de zeilen sinds Carlos Menem in 1989 zijn eerste verkiezingen tot president won en overging tot een gigantisch privatiseringsprogramma in een land waar de staat sinds het eerste peronistische tijdperk oppermachtig was in de economie. Dit feest voor een nieuwe generatie vrije jongens wordt beschreven in het voor Menem vernietigende boek *Pizza con Champán* (Pizza met champagne) van Silvina Walger.

Marta Salinas schrijft dat de nieuwe rijken hier en daar de landhuizen hebben opgekocht van de adel. Ze hebben het vermolmde instituut van de country club nieuw leven ingeblazen. Waar eerst alleen de aristos beschikten over dergelijke gelegenheden, zijn die nu binnen bereik voor iedereen die ervoor wil betalen. Salinas noemt voorbeelden van 'countrys', zoals de Argentijnen zeggen, die een begrip zijn geworden van de dolce vita. In en om Buenos Aires heb je de Tortugas Country Club, de Lagartos en Olivos Golf. Voor de juiste spullen kun je in de barrio Norte terecht bij tal van gespecialiseerde, uiterst Britse winkels waar het heerlijk naar leer ruikt. De country club is inmiddels iets voor alle lagen van de bevolking. Ook de vakbonden beschikken erover.

Kleine stadjes in de pampa, zoals Trenque Lauqen, waar de moeder van Sarah Ferguson woonde met haar Argentijnse echtgenoot voordat ze verongelukte, vinden het een eer concurrerende, nabijgelegen plaatsen de loef af te steken met hun country. Ze zijn er vereerd met buitenlands bezoek en wie geluk heeft, krijgt een uitnodiging om een middagje in de country door te brengen. In en rondom het clubhuis is fatsoenlijke kleding vereist. Er wordt altijd geprobeerd de bar een Britse uitstraling te geven. De whisky is er vaak Argentijns, maar altijd voorzien van Engelse namen als Breeders' Choice of Old Smuggler.

Er was een tijd dat de high society in Argentinië voorwerp was van haat, ruwweg in het eerste peronistische tijdperk (1946 - 1955). Meer nog dan Juan Perón, met wie zij in oktober 1945 in het huwelijk was getreden, hitste Eva haar aanhangers op tegen de bourgeoisie in hun clubs en dreigde hen naar de barrio Norte te sturen om alles kort en klein te slaan. Dat lot bleef de buurt bespaard, maar trof wel de uiterst exclusieve Jockey Club elders in de stad, waartoe Jorge Zorreguieta later zou toetreden. Sinds de verwoesting in de Jockey Club, voorafgegaan door peronistische terreur tegen kerken, was de adel in oorlog met Perón.

Vooral de deels Baskische Evita kreeg het zwaar te verduren. De dames uit la alta accepteerden 'die hoer' niet, want ze was slechts een voormalig actrice bij hoorspelen en op het toneel, en mocht om die reden geen voorzitster van 's lands grootste liefdadigheidsbeweging worden, een functie die traditioneel werd vervuld door de presidentsvrouw. Eva richtte vervolgens een eigen fonds op, dat de aristocratische dames ver in de schaduw stelde. Hun echtgenoten moesten flink in de buidel tasten voor een vrijwillige bijdrage, anders zwaaide er wat.

Alicia Dujovne Ortiz geeft in haar biografie een verklaring voor Evita's haat jegens de betere klassen: als meisje in de stad Junín, in de pampa niet ver van Buenos Aires, zouden zij en een vriendin eens zijn meegenomen door twee jongeheren met een auto (waarschijnlijk zoons van welvarende estancieros) voor een rit naar de badplaats Mar del Plata. Eva en de vriendin verzetten zich tegen de handtastelijkheden van de jonkers, waarop ze de auto uit gezet werden.

Uiteraard verklaarden de Peróns ook de oorlog aan andere bastions van de bourgeoisie, zoals zij dat zagen. Het schitterende Teatro Colón in Buenos Aires, een kopie van de Scala in Milaan, moest de galavoorstellingen even vergeten om plaats te maken voor leden van de peronistische vakbonden: de perfecte akoestiek moest benut worden door de grote troms die ook nu nog worden meegevoerd bij elke peronistische demonstratie.

Nog steeds slaat veel Argentijnen de schrik om het hart bij het horen van deze bombos. Bij de verkiezingscampagne van 1983 was een groep potige jongens actief voor de peronisten. Met een man of twintig, begeleid door bombos, hadden ze de gewoonte restaurants van de bourgeoisie te bestormen en alle borden leeg te graaien voordat ze zich uit de voeten maakten.

Behalve de aristos hadden in de jaren veertig en vijftig ook de socialisten grote bezwaren tegen Evita. Hun aanvoerster, Alicia Moreau de Justo, sprak er schande van dat Evita in Parijs officieel op het Elysée was ontvangen. Dat Franco haar eveneens had begroet, interesseerde de linkse dames niet. Niet-communistisch links in Argentinië richt zijn blik vooral op Frankrijk en dat land van vrijheid, gelijkheid en broederschap had de echtgenote van de dictator een onverdiende eer bewezen.

Het echtpaar Perón bewoonde in die jaren een indrukwekkend paleis, het Palacio Unzué, waarvan inmiddels alleen nog foto's bestaan. Tot de jaren dertig was het in bezit van een schatrijke Baskisch-Franse familie die behoorde tot de pioniers van het onafhankelijke Argentinië. De familie verkocht het aan de staat, die er de residentie voor de president van maakte, midden in de stad, net buiten de Recoleta-buurt van de Zorreguieta's. De Peróns stelden het paleis natuurlijk open voor het volk, totdat de militairen in september 1955, aangevoerd door de vaak als 'aristocratisch' omschreven marine, met hun Revolución Libertadora (Bevrijdende Revolutie) de president ten val brachten.

Na deze putsch werden in het paleis de rijkdommen tentoongesteld die de Peróns hadden vergaard, in een mislukt streven het volk te doen walgen van zoveel pracht en praal, over met name de garderobe en de juwelen van de reeds in juli 1952 overleden Evita. In een poging het peronisme onder de grond te stampen lieten de militairen het Palacio Unzué afbreken.

De militaire staatsgreep tegen Perón werd ook opgevat als een daad van agressie tegen de lagere klassen.

Schrijver-journalist Luis Gregorich herinnert zich dat de klassen op de dag van de putsch zeer verdeeld waren. 'Op de Plaza de Mayo juichte een menigte de militairen toe die Perón hadden afgezet. Ook deze mensen behoorden tot het volk, maar het was een ander volk dan de mensen die op dit plein Perón plachten toe te juichen. Aanwezig waren hier de middenklasse, de mannen met witte boorden, studenten, dames uit de barrio Norte. Onderwijl heerste in andere, volksere, buurten, veel verder van het centrum van Buenos Aires, een sfeer van verdriet en angst.'

Alicia Dujovne Ortiz beschrijft in Eva's biografie de vreugde in een aristocratische familie, drie jaar eerder, bij de dood van Juans vrouw: de aristos genoten van een overvloedig met champagne overgoten feestmaal terwijl het personeel in de keuken huilde.

Wat haatte het peronistische volk die vermaledijde aristocraten, die vendepatrias (landverraders). Onder de peronistische dictatuur waren het de betere standen die de westerse waarden hoog hielden als vrijheid van meningsuiting en de noodzaak verzet te plegen tegen elke vorm van dwingelandij. De betere kringen stonden dus aan de goede kant en keken, ook nu weer, voor inspiratie naar Europa. 'Geen betoging tegen Perón was compleet zonder het aanheffen van de *Marseillaise* door de volledig blanke menigte,' noteert Dujovne Ortiz.

Een smetje op het patriottisme van de bourgeoisie tijdens het eerste deel van Peróns regime was de openlijke manier waarop de Amerikaanse ambassadeur in Argentinië, Spruille Braden, zich bemoeide met de leiding van het verzet. 'Hij reisde het hele land af en hield toespraken waarin hij fulmineerde tegen Perón,' herinnert de historicus Félix Luna zich. 'Zodra het regime het demonstratieverbod had ingetrokken, liep Braden mee in talloze "marsen voor de vrijheid", zoals de anti-peronisten zeiden. Braden was de lieveling van de betere klassen van Buenos

Aires. Hij had de opdracht van Washington om Argentinië te ontdoen van Perón, als straf voor diens pro-Duitse houding in de Tweede Wereldoorlog. In maart 1945 verklaarde Perón toch nog de oorlog aan Duitsland en Japan.'

De viering van de bevrijding van Parijs, in 1944, was in Buenos Aires een uitsluitend blanke aangelegenheid. Alleen de hogere en de middenklassen togen naar de plaza Francia in de Recoleta-buurt. In Argentinië was de bourgeoisie 'goed' in de Tweede Wereldoorlog, Péron en de strijdkrachten golden als pro-Duits. Pas onder president Menem kwam het tot een toenadering tussen de twee partijen.

# 3

## Burgers en militairen

In de aanloop naar de vijfentwintigste verjaardag van de staatsgreep, op 24 maart 2001, viel te beluisteren dat het tijdperk van de coups in Argentinië voorgoed was beëindigd. Een gewaagde voorspelling, maar wel onderbouwd. De rol van de strijdkrachten is niet meer te vergelijken met die in de jaren zeventig. Zo hebben de presidenten Raúl Alfonsín en Carlos Menem fors bezuinigd op de defensiebegroting. Menem schafte bovendien de dienstplicht af.

Belangrijker misschien is dat in de betere kringen van de maatschappij een eind is gekomen aan de overtuiging dat alleen de strijdkrachten, mits bijgestaan door technocraten uit de burgermaatschappij, orde kunnen scheppen in het altijd turbulente land. De strapatsen van de vorige junta – die de reputatie van Argentinië heeft geschaad, de economie heeft verpest en een oorlog heeft verloren – betekende een keerpunt in het denken. 'Niemand wil hier meer de militairen terug, behalve misschien een paar extremisten,' meent een diplomaat. 'In Chili is dat heel anders. Daar kan Pinochet nog rekenen op aanzienlijke steun onder de strijdkrachten en de burgers.'

In Argentinië was de actieve steun van burgers aan militaire regimes altijd groot. Volgens de historicus Gaston Doucet werden sinds 1930, bij de eerste staatsgreep tegen een gekozen president, alle militaire coups zelfs in gang gezet door burgers en kon er zonder hun steun geen enkele coup slagen. Tot de putsch van 1976 was de verhouding tussen burgers en militairen dus zo slecht nog niet. Eerder was er sprake van een hartelijke samenwerking. Bij de voorbereiding van een coup worden altijd politici betrokken. In 1976 waren dat leidende figuren van de Unión Cívica Radical, die toen in de oppositie was tegen de peronisten. Maar ook peronisten pleitten voor een coup tegen hun eigen Isabel, de derde vrouw van Juan, in de wetenschap dat het zo niet langer ging. Argentinië koerste af op een burgeroorlog.

Doucet, werkzaam aan de Katholieke Universiteit van Buenos Aires, zegt dat een coup nooit zwart-wit een zaak van burgers tegen militairen is. 'Eerst moeten de militairen zich verzekeren van de steun van politici, werkgevers, vakbonden, de landeigenaren van de Sociedad Rural, kortom van elke organisatie die een belangrijke rol vervult in de maatschappij. In 1976 was de steun van de Confederación General del Trabajo, CGT, van vitaal belang. De leiders waren het zat dat ze constant het risico liepen te worden vermoord door de guerrilla, die hen beschouwde als verraders van de arbeidersklasse. De één na de ander werd doodgeschoten. Vaststaat dat de militaire top voor de coup in contact stond met de toenmalige leider van de Radicalen, Ricardo Balbín. Een belangrijke leider van de CGT, Lorenzo Miguel, werd herhaaldelijk gezien op het legerhoofdkwartier.'

In zijn boek *La República Perdida* (De verloren republiek) schetst schrijver-journalist Luis Gregorich hoe het smoren van de democratie in Argentinië telkens werd toegejuicht door grote delen van de burgerij. In 1930 werd Hipólito Irigoyen, de eerste democratisch gekozen president sinds de invoering van het algemeen kiesrecht, afgezet door generaal Félix Uriburu. De redenen zijn niet geheel duidelijk, maar een veel gehoorde lezing is dat de bourgeoisie – altijd een gemakkelijke zondebok – gekant

43

was tegen Irigoyens plannen om Amerikaanse oliebelangen te nationaliseren. In elk geval wisten de putschisten welgestelde burgers aan hun zijde te krijgen. Een menigte vernielde de woning van de president in Buenos Aires. En een dame uit de betere kringen droeg een lofdicht voor op de generaal die zij 'bijna net zo groot achtte als San Martín', de grondlegger van de onafhankelijkheid.

De eerste grote huldiging van militairen vond plaats in 1943, toen het leger in opstand kwam tegen de als corrupt afgeschilderde conservatieve burger-president Ramón Castillo. Ene kolonel Juan Perón deed mee in een leidende rol, maar nog niet als aanvoerder. Op weg naar de Casa Rosada, het presidentiële paleis, juichte de dichte massa de militairen toe. 'Het moet gezegd dat deze putsch werd gesteund door het volk,' schrijft Gregorich in zijn boek, een aanklacht tegen de dictaturen. 'Er waren zelfs Radicalen die geloofden dat zij nu weer aan de macht zouden komen.'

Juan Perón maakte van de gunstige ontvangst door de burgers echter gebruik om, na zijn benoeming tot minister van Arbeid, goede banden aan te knopen met de door eerdere militaire regimes vervolgde vakbonden. Erg 'volks' was het nieuwe bewind niet: president Pedro Pablo Ramírez, Peróns superieur, gaf de staatsomroep bevel om tango's met schunnig geachte teksten te weren. Peróns ontmoetingen met arbeiders, iets volstrekt nieuws in de Argentijnse context, doorbrak de strenge scheiding tussen burgers en militairen. In februari 1946 werd Perón voor het eerst als president gekozen dankzij zijn goede contacten met de arbeiders, die zich altijd buitengesloten hadden gevoeld. Politiek was tot dan toe vooral een zaak van de middenklasse en de rijken geweest.

Niet de strijdkrachten, maar burgers vormden Peróns stoottroepen, vooral de hem goedgezinde vakbond CGT. Het leger nam steeds meer afstand van Perón, vooral vanwege zijn huwelijk met de ordinaire Evita. Politici van de oppositie, met name de Radicalen, pleitten openlijk bij het leger voor een coup tegen Perón. Dat was wel verklaarbaar, want tegenstanders van Perón verdwenen vaak in de gevangenis of werden mishandeld. Socialisten en conservatieven ondergingen hetzelfde lot. Militant-katholieke burgers schaarden zich aaneen en vochten veldslagen uit met de politie toen Perón de kerkelijke hiërarchie van een complot betichtte. Burgers slaakten een zucht van verlichting toen de strijdkrachten er, na een mislukte poging, eindelijk in slaagden Perón af te zetten. De admiraal en de generaal die de putsch hadden geleid, kregen een ovatie op het balkon van het presidentiële paleis, waar Perón enkele dagen eerder zijn aanhangers had toegesproken. 'Mijn generaal, wat ben je groot, wat ben je sterk!' hadden zijn bewonderaars hem toegezongen.

Toch waren de tijden van voorspoed, ook voor de gewone man, vooral peronistische tijden. Dat zullen zelfs de tegenstanders van Perón toegeven. Later, aan het begin van de jaren zeventig, toen Perón terugkeerde uit zijn Spaanse ballingschap, dacht menigeen, onder wie idealistisch bevlogen jongeren, dat die goede oude tijd zou herleven. In plaats daarvan kregen linkse en rechtse peronisten het met elkaar aan de stok in een soort burgeroorlog, waar ook het leger zich in mengde. Dat betekende, volgens een dikwijls verkondigde maar niet altijd overtuigende uitleg, het begin van het einde van Argentinië als welvaartsstaat.

Argentijnen zijn in politiek opzicht tot op het bot verdeeld, maar zowel communisten als ultra-conservatieven krijgen niet zelden een weemoedige glans in de ogen als ze terugdenken aan de goede oude tijd. Ook jongeren van rond de twintig vermelden trots dat Evita Perón in de jaren veertig graan cadeau deed aan Spanje, dat toen nog overeind krabbelde na de burgeroorlog. Anderen beweren dat hun land Europa toen een soort Marshallplan aanbood om te rivaliseren met de Amerikanen. In die tijd verdienden Argentijnse arbeiders net zoveel als hun collega's in Europa en behoorde het land tot de rijkste ter wereld. Heel Zuid-Amerika keek bewonderend naar Argentinië, waar arbeiders zich een auto konden veroorloven, al was dat vaak een ter plaatse geassembleerde Fiat 600. Dat was in het eerste peronistische tijdperk, van 1946 tot 1955.

Juan en Eva Perón smeten met geld om hun macht te consolideren. Die rijkdommen waren vooral afkomstig van de verkopen van graan en vlees aan het in de oorlog verpauperde Europa. Perón wist de nieuw ontstane klasse van industriearbeiders in te palmen. Ook zij kregen recht op vakantie en vakantiegeld. In badplaatsen als Mar del Plata staan nog de hotels die eigendom waren van de vakbonden waarvan de leden er gratis met hun gezinnen verbleven. De fine fleur van het artiestendom toog in de zomermaanden naar de kust om hen te vermaken. Perón had het bespelen en vertroetelen van de massa's afgekeken in het Italië van Benito Mussolini, waar hij enige tijd had doorgebracht als assistent van de Argentijnse militaire attaché. Massale bijeenkomsten, gloedvolle toespraken, een gezamenlijk ideaal, de verzekerde trouw van het volk door het te laten delen in de welvaart, dat wilde hij ook.

Tot op de dag van vandaag zijn Argentijnen ruwweg te verdelen in bewonderaars en haters van Juan en Evita Perón. Over Isabel Perón, Juans weduwe die in maart 1976 werd afgezet, spreekt niemand meer, de herinneringen zijn te pijnlijk.

De bewonderaars roemen de sociale wetten, het stemrecht voor de vrouw, de legalisering van echtscheiding, de pogingen om van Argentinië een echt Zuid-Amerikaans land te maken en de buurlanden nu eindelijk eens te omarmen als broedernaties. De vijanden noemen de politieke en culturele repressie en denken met afgrijzen terug aan de hysterische toespraken van Evita vanaf het balkon van de Casa Rosada, dreigementen uitend aan het adres van de betere klassen.

Zowel de rijken als socialisten waren opgelucht over de staatsgreep van 1955, de Revolución Libertadora, die voor bijna twintig jaar een eind maakte aan de heerschappij van Perón.

De geschiedenis van 1955 zou zich in 1976 herhalen, toen de bevolking het regime van Isabel Perón zo beu was, dat ze de coup van generaal Jorge Videla en consorten toejuichte. Pas later zou blijken dat daarmee een schrikbewind was aangetreden. Het ontwaken uit die nachtmerrie draagt ook nu nog in niet geringe mate bij tot het eeuwige geworstel van de Argentijnen met hun geweten en hun identiteit.

Na de dood van Juan Perón op 1 juli 1974, die na zijn terugkeer uit Madrid nog geen jaar had geregeerd, zagen steeds meer burgers geen andere uitweg dan een militaire coup. Auto's met burgers werden gesignaleerd bij kazernes en bij de hoofdkwartieren van leger en marine. Na de putsch konden de militaire bestuurders opnieuw putten uit een aanzienlijk reservoir van burgers voor de vervulling van topfuncties.

Militaire regimes hadden altijd een beroep gedaan op burgers om hen te dienen, om het regime vervolgens over te dragen aan een burgerbewind. Vooral posten die veel buitenlandse contacten met zich meebrengen, gingen in de regel naar burgers. Videla's eerste minister van Buitenlandse Zaken was evenwel een militair, admiraal César Augusto Guzzetti, die ernstig gewond raakte bij een aanslag door de links-peronistische Montoneros en moest worden vervangen.

De militairen deden dikwijls een beroep op de 'traditionele families', de grondleggers van het moderne Argentinië, zoals Wehbe, Klein, Krieger-Vasena, Di Tella, Anchorena en Costa Méndez. Ditmaal was ook Jorge Zorreguieta van de partij, toen nog een onbekende bij het Argentijnse publiek. Dat zou zo blijven tot ver na zijn aftreden. Pas door de romance van zijn dochter met de Nederlandse kroonprins werd hij uit de anonimiteit gehaald.

Juan Alemann kent Zorreguieta goed uit de tijd dat ze collega's in het militaire regime waren. Beiden waren onderminister: Zorreguieta van Landbouw, Alemann van Financiën.

Alemann is inmiddels ver in de zeventig, maar is nog elke dag te vinden op de redactie van het *Argentinisches Tageblatt* dat, in tegenstelling tot wat de naam suggereert, nog slechts éénmaal per week uitkomt. Alemanns familie emigreerde eind negentiende eeuw van Zwitserland naar Argentinië. De Alemanns zijn te laat gekomen om te worden gerekend tot de familias tradicionales, maar gelden toch als behorend bij de toplaag van de maatschappij. Het *Tageblatt*, net als enkele andere ondernemingen familiebezit, wekt nogal eens de indruk een orgaan van 'foute' Duitsers te zijn, met die titel in gotische letters, maar het is honderd procent antifascistisch, volgens Juan Alemann, de directeur.

Alemann bezweert dat Zorreguieta noch hijzelf als staatssecretaris iets had in te brengen tegen de militairen, de ware machthebbers. 'Soms vroeg ik weleens iets over een zaak die het leger aanging, of de marine. Dat werd me altijd weer kwalijk genomen. Militaire zaken waren het domein van het opperbevel, wij werden geacht daarover onze mond te houden en ons uitsluitend bezig te houden met onze vakgebieden.'

De ene keer dat Juan Alemann zich probeerde te mengen in deze zaken, kreeg hij, nadat hij veel moeite had gedaan om de hoogste leiders te spreken te krijgen, te horen dat hij als ondergeschikte van José Alfredo Martínez de Hoz, minister van Economische Zaken, zijn plaats moest kennen. Alemann werd onder druk gezet om opheldering te eisen over het lot van de diplomate Elena Holmberg Lanusse en de ambassadeur van Argentinië in Venezuela, Héctor Hidalgo Solá. 'Ik kreeg meteen de wind van voren, met dat soort zaken diende ik me niet te bemoeien.'

Volgens Alemann was Jorge Zorreguieta wél zo brutaal geweest de almacht van de militairen te tarten. Na een langdurige lobby, zijn sterke punt, zou Zorreguieta erin zijn geslaagd een vriend van de familie te bevrijden uit Campo de Mayo, een grote militaire basis even buiten Buenos Aires die tijdens de 'smerige oorlog' fungeerde als concentratiekamp.

Die kennis van de Zorreguieta's was een leraar uit Santa Rosa de La Pampa die als subversief element was opgepakt en dreigde voorgoed te verdwijnen. Als we Alemann mogen geloven, dan heeft zijn collega een heldendaad verricht. Zelf durfde hij na de eerste barse weigeringen van de generaals niet meer aan te dringen.

Ook Alemanns oudere broer Roberto maakte het de militairen niet moeilijk. Roberto was in een latere regering minister van Economische Zaken, maar ook hij werd streng buiten militaire zaken gehouden. Toen de drankzuchtige president-generaal Leopoldo Galtieri in 1982 de Britse Falklandeilanden liet bezetten, bevond Roberto Alemann zich op een Zuid-Amerikaanse ministersconferentie in Colombia, waar hij door collega's werd bestormd met vragen, toen bekend werd dat zijn land opeens in oorlog was met een Europese grote mogendheid. Broer Juan: 'Roberto was net zo verbijsterd als de rest van de Argentijnen, al was het natuurlijk conform de regels.'

Volgens andere Argentijnen had Galtieri zijn minister van Buitenlandse Zaken, Nicanor Costa Méndez, ook een burger, wél op de hoogte gesteld. Het is ook moeilijk voor

te stellen dat een diplomaat van het kaliber Roberto Alemann, die de Argentijnse zaak vooral in Latijns-Amerika
moest verdedigen, op dit gebied onwetend was.

Juan Alemann zegt dat hij, tijdens zijn vijfjarige loopbaan als staatssecretaris, 'natuurlijk' wist welke gruwelen zich in zijn land afspeelden. 'Gewoon, door net als iedereen de kranten te lezen.' Datzelfde moet volgens hem
hebben gegolden voor Zorreguieta.

Er was weliswaar censuur, maar al betrekkelijk snel
na de coup van maart 1976 werden de teugels wat gevierd.
Op de redacties zat niet langer een 'interventor', een be-
roepsbemoeial van de militairen. Toen dat individu van
de redactie was vertrokken, kopte *Clarín*: 'Er heerst weer
volledige persvrijheid in Argentinië.'

Als Juan Alemann wist welke gruwelen zich afspeelden, op bevel van de regering waarvan hij deel uitmaakte,
waarom deed hij dan niets, waarom trad hij niet af? Het
antwoord is niet erg duidelijk. Alemann beschouwde het
als zijn plicht om te helpen Argentinië weer op het rechte
pad te krijgen na de janboel die Juan en Isabel Perón hadden achterlaten. 'Ik beschouwde de toetreding tot de regering als een patriottische daad in een periode dat ons
land in gevaar was. Ik heb er veel geld mee verloren, want
liever had ik me geconcentreerd op ons bedrijf.' Jorge
Zorreguieta zou precies hetzelfde argument aanvoeren.

Alemann heeft zijn patriottische daad tweemaal bijna
met de dood moeten bekopen. Eind 1979 werd zijn dienst-
auto onder vuur genomen in de wijk Belgrano, vlak bij
zijn woning. Een commando loste twee schoten: een ervan ketste af op het staal, de ander doorboorde een zij-
raam en trof de chauffeur, die zwaar gewond raakte. 'Ik
zat onder het bloed, dat van de chauffeur natuurlijk.
Maar voorbijgangers riepen dat ze me haden doodgeschoten, het was even later op de telvisie, mijn vrouw schrok
zich een ongeluk.'

Kort daarop eisten de Montoneros de aanslag op. 'In een communiqué werd ik beschuldigd van het uitbuiten van het Argentijnse volk, dat ik zou hebben uitgeleverd aan het internationale speculatiekapitaal, of woorden van die strekking.'

Eerder was Alemann al het doelwit van een aanslag in opdracht van het juntalid admiraal Emilio Massera. 'Die man was volslagen krankzinnig.' Hier deed zich dus de absurde situatie voor dat een burgerminister als Juan Alemann op zijn post bleef terwijl hij een van zijn superieuren betichtte van poging tot moord op hemzelf.

Alemann wekt niet de indruk te kampen met een moreel dilemma. 'Er moest iets gebeuren, maar de militairen hebben er uiteindelijk ook een potje van gemaakt. De economie draaide steeds verder in de soep, en dan die vreselijke dingen die er zijn gebeurd. Waarom hebben ze niet gewoon de legale weg bewandeld?'

Alemann zegt dat de militairen zo populair waren toen ze Isabel Perón afzetten, dat ze de 'terroristen' met open vizier hadden moeten bestrijden. 'Het volk zou achter hen hebben gestaan, ook nu nog.' Anderen noemen als belangrijkste reden voor de staatsterreur de vrees onder de militairen dat gearresteerde terroristen weldra weer zouden worden vrijgelaten door een burgerregering, zoals de in 1973 gekozen president Héctor Cámpora had gedaan met Montoneros en leden van andere strijdgroepen. Veruit de meeste mensen die verdwenen onder Videla's schrikbewind, hadden echter niets met het gewapend verzet te maken.

Juan Alemann is een innemende grand seigneur. Volgens sommigen is hij uiterst conservatief, volgens anderen gewoon conservatief. Het woord 'conservador' heeft in Argentinië een rechtsere lading dan 'conservatief' in Europa. Toch nemen ook redelijk progressieve Argentijnen Alemann niets kwalijk: president Carlos Menem, een peronist die van 1989 tot 1999 regeerde, vroeg Alemann tegen het einde van zijn tweede ambtstermijn om ambassadeur te worden in Japan, en later werd hij door conservatieven voorgedragen als burgemeester van Buenos Aires, die sinds 1994 rechtstreeks wordt gekozen. Alemann houdt zich echter liever bezig met kranten en bedankte in beide gevallen voor de eer.

Hoewel zowel Alemann als het *Tageblatt* als 'rechts' bestempeld kan worden, hoeft Alemann zich niet te schamen voor het familieverleden in de tijd van het Derde Rijk: de familie Alemann werd door de door Hitler benoemde Gauleiter voor Buenos Aires voor het gemak ook maar tot de Duitsers gerekend. Deze vond het *Tageblatt* veel te links en richtte een concurrent op, *El Pampero*, vernoemd naar de wind uit de pampa's.

*El Pampero* werd min of meer samengesteld op Hitlers ambassade in Buenos Aires. Redacteuren van het *Tageblatt* werden bedreigd en mishandeld, ondernemers in de Duitse gemeenschap werden onder druk gezet er niet in te adverteren. Op het pand werden hakenkruisen geklad. De familie Alemann walgde van deze ontwikkelingen. 'Mijn familie was betrokken bij de stichting van nieuwe Duitse scholen, omdat de Gauleiter de meeste andere in zijn macht had, zodat alle leerlingen de Hitlergroet moesten brengen en dat soort ellende. Mijn vader was fel anti-nazi, vanaf het eerste moment.'

*El Pampero* hield na de oorlog op te bestaan. 'Zo keerde de situatie terug dat het *Tageblatt*, toen nog een dagblad, werd gelezen door zowel Duitse joden die naar Argentinië waren gevlucht als verstokte nazi's.' Het *Tageblatt* kwam in de jaren vijftig opnieuw in de problemen, toen de commentaren het regime van Juan Perón niet aanstonden. Die moesten ook in het Spaans worden afgedrukt. De krant werd toen om de haverklap gesloten.

Het is raadzaam om verhalen over complotten van de

oligarchie, waartoe ook de familie Alemann wordt gerekend, de landaristocratie en de ultra-liberalen met een korrel zout te nemen. Dergelijke woorden behoren in Argentinië tot het vocabulaire van oud-links, van linkse peronisten en anderen die worden verenigd door haat jegens wat zij beschouwen als het ongebreidelde kapitalisme. De oligarchen weigeren in de regel elk commentaar op de verhalen in kranten en boeken waarin zij worden afgeschilderd als de handlangers van het vaderlandsloze grootkapitaal waaraan zij Argentinië hebben uitgeleverd. De verhalen zijn vaak vermakelijk, maar de echte harde bewijzen over de schurkenrollen van de plutocraten zijn in de regel erg mager. 'Indirect bewijs,' zei zelfs de schrijver en ex-Montonero Miguel Bonasso over de verhalen in *Trouw* op 5 en 6 maart 2001 dat Jorge Zorreguieta persoonlijk nauw betrokken was bij de voorbereidingen van de putsch van Videla cum suis.

Schilderachtige figuren zijn het vaak, die rijke, discrete burgers die volgens gespecialiseerde journalisten steeds weer de weg vrij maken voor de generaals. Vicente Muleiro van *Clarín* is zo'n journalist, met María Seoane ook schrijver van *El Dictador*, de niet-geautoriseerde biografie van Jorge Videla. De naam Jorge Zorreguieta komt in het 639 pagina's dikke boek welgeteld één keer voor, en dan nog in een verder onbeduidende mededeling over Videla's begeleiders tijdens zijn bezoek aan het pampastadje Mercedes, waar Videla is geboren.

Muleiro, een erudiete, innemende man, heeft er veel werk aan gehad Nederlandse journalisten ervan te overtuigen dat zijn boek dus niet gaat over Zorreguieta en dat, bij zijn weten, Máxima's vader geen schurk is en er geen bloed aan zijn handen kleeft. Toch is hij 'guilty by association', vindt Muleiro, omdat hij hand- en spandiensten heeft verleend aan onder anderen leden van de oligarchie en landadel om Videla in het zadel te helpen.

Wie de 'bewijzen' niet al te serieus neemt, kan toch plezierige uren doorbrengen met het lezen van verhalen als 'De coup met pak en das', geschreven door Vicente Muleiro in het zondagssupplement van *Clarín* van 11 maart 2001. Ene Jaime Perriaux komt hierin naar voren als de kwaaie pier, in ongeveer dezelfde rangorde als Martínez de Hoz. Hij gaf voor de coup leiding aan 'een samenzwering van burgers' die streefden naar de aristocratisering van het bestuur over Argentinië, met henzelf natuurlijk in de hoofdrol. Ze geloofden kennelijk in hun eigen hersenspinsels. Alsof de Argentijnen, met een diepgeworteld gevoel voor democratie, zich door zo'n stelletje landjonkers de les zouden laten lezen.

De samenzweerders, aldus nog steeds Muleiro's complottheorie, kwamen bijeen in de Richmond in het centrum of in de Club Azcuénaga in de barrio Norte. De leden van voornoemde clubs hebben, uiteraard, nauwe banden met de militaire top en met schimmige en rijke zakenlieden in Europa en de vs. De beurs, de Sociedad Rural, leiders van bonden van werkgevers: allemaal hebben ze hun afgezanten gestuurd naar de Richmond en de Azcuénaga. Hun ideaal was volgens Miguel Bonasso een terugkeer naar 'de goede oude tijd dat de negers niet stemden', een verwijzing naar de zwartkopjes die de trouwe en massale aanhang vormden van Juan en Eva Perón.

Als ze even niet bezig zijn met complotteren, nemen de leden van de elite volgens de verhalen deel aan jachtpartijen, doen ze superzaken in en buiten Argentinië en lezen ze uit het werk van extreem-rechtse denkers.

Het is vermakelijke lectuur, maar veel interessanter en dichter bij de realiteit is het resultaat van Muleiro's naspeuringen naar de gedragingen van de beroepspolitici, die dus niet behoren tot de beperkte klasse van aristocraten, voor en meteen na de coup van Videla en consorten. Muleiro en ook andere onderzoekers merken op dat de

Partido Socialista Democrático zich mocht verheugen in de sympathie van de militairen. Het is een klein partijtje, niet te vergelijken met de Radicalen en de peronisten, maar het heeft al sinds de jaren vijftig goede banden met het kader van de strijdkrachten. Sommige leden werden meteen benoemd op hoge ambassadeursposten, andere kregen als burgemeester het gezag over grote of middelgrote provinciesteden. Gaandeweg kregen echter ook Radicale en zelfs peronistische politici mooie burgemeestersposten.

Het werd hen niet nagedragen. Bij de eerste vrije verkiezingen na de coup, in 1983, was deze 'collaboratie' van burgers absoluut geen punt van discussie. Dat zou lang zo blijven, totdat het liefdesleven van zijn dochter Jorge Zorreguieta op de voorgrond plaatste. Door alle belangstelling is de discussie over de straffeloosheid van de burgers even opgelaaid, maar nog steeds nemen zeer weinig Argentijnen hen iets kwalijk.

# Deel II

# 4

## Montoneros ruiken de macht

De jaren zeventig, waarin Argentinië steeds verder afgleed naar een staat van anarchie, hadden kennelijk toch hun charme. In de boekwinkels van Buenos Aires ligt een zekere nostalgische literatuur op ereplaatsen bij de kassa. *El Dictador*, natuurlijk, de biografie van generaal Jorge Rafael Videla. El Ateneo, een ouderwetse boekhandel aan de calle Florida, ooit de chicste winkelstraat van Buenos Aires, heeft er een hele stapel van bij de centrale kassa gezet. Vicente Muleiro en María Seoane komen 's avonds een praatje houden en hun boeken signeren.

Maar ook andere, minder dikke werken verkopen prima. Dat geldt overigens voor zo'n beetje elk boek over de Argentijnse geschiedenis, zelfs over de voor ons verder onbekende provinciale caudillo's uit de negentiende eeuw.

*Diario de un clandestino* (Dagboek van een ondergedoken strijder) van de in 1940 te Buenos Aires geboren Miguel Bonasso ligt overal vlak bij de kassa's. Deze en andere bestsellers spelen zich vooral af in een voor Argentinië dramatische periode, maar het is beslist niet allemaal kommer en kwel. Het dagboek van Bonasso beschrijft onder meer zijn ervaringen in het Buenos Aires tijdens de junta van Videla, toen hij er onder een valse identiteit woonde met zijn vrouw en twee jonge kinderen.

Bonasso blikt zelfs met een zekere vertedering terug op de jaren zestig en zeventig, hoe gruwelijk die in Argentinië ook zijn verlopen. Een deel van de jeugd in westerse landen, waartoe ook Argentinië zich rekent, beschouwde zich als revolutionair, met alle romantiek vandien. Pinochets putsch tegen Salvador Allende in september 1973 had het vuur elders in de regio aangewakkerd. De Zuid-Amerikaanse regimes steunden de coup in Chili en spraken onderling af om 'subversieve elementen' op te pakken en aan elkaar uit te leveren.

Juan Perón was nooit een echte linkse leider geweest, maar in de laatste jaren van zijn ballingschap, kort voor zijn definitieve terugkeer naar Buenos Aires in juni 1973, raakten steeds meer Argentijnse jongeren in zijn ban. Sommigen hadden van hun ouders gehoord hoe welvarend de gemiddelde Argentijn was, anderen voelden zich aangesproken door Peróns aanhankelijkheidverklaringen aan landgenoot Ernesto 'Che' Guevara en aan ontluikende Argentijnse guerrillabewegingen. Argentijnen als Miguel Bonasso beschouwden hem als een hun eigen versie van Salvador Allende.

Het Argentijnse weekblad 3 *Puntos* publiceerde begin 2001 een discussie tussen Bonasso en Rafael Bielsa, vroeger ook een aanvoerder van de Montoneros, nu iemand die ondanks zijn links-peronistische verleden een invloedrijke post heeft verworven zonder dat iemand zeurt. Bielsa werd ontvoerd, gemarteld, zat langdurig gevangen en ging in ballingschap. Sinds enkele jaren is hij een hoge regeringsadviseur voor juridische zaken.

Bonasso en Bielsa hebben geleden gedurende de jaren zeventig, maar ook erg intensief geleefd. Ze hadden de moed van hun overtuiging en hebben daar een hoge prijs voor betaald, al achten ze zich intens gelukkig dat ze nog leven. 'Als ik naar de sportschool ga,' vertelt Bielsa, 'vragen jongeren me altijd naar die tijden van vroeger, niet omdat dat zo'n geweldige tijd was, maar omdat jongeren tegenwoordig geen idealen meer lijken te hebben waaraan ze zich kunnen vastklampen. [...] In de jaren zeventig leerden we om "nee" te zeggen, en dat alleen al is erg belangrijk. Nu heerst er een sfeer van verslagenheid, iedereen lijkt zich neer te leggen bij de almacht van de wetten van de markt.'

'Ach, konden die goede oude tijden van de beschermende tolmuren maar terugkeren toen ons land in de wereld nog aanzien genoot...' is een typische uitlating van een Argentijnse intellectueel.

*3 Puntos* vraagt Rafael Bielsa of hij de jaren zeventig niet op een of andere manier mist. 'Natuurlijk, afgezien dan van het geweld. Maar in die tijd moest je nog wat gedichten, liederen kennen of uit bepaalde boeken kunnen citeren wilde je kans maken een meisje te versieren. Dat schiep een band, dat zorgde voor compañeros. Dat woord heeft in deze tijd geen enkele betekenis meer. [...] Het is goed dat de jongeren van tegenwoordig weten dat er in die tijd ook plezier bestond, dat er een sterke erotische lading in de lucht hing.'

De interviewer: 'Jullie bedoelen dat er veel werd geneukt...' Bonasso: 'Natuurlijk. En dat ondanks artikel 16 van de gedragscode van de Montoneros, die ontrouw verbood. Dat artikel werd constant geschonden.'

De haat van een bepaald deel van de intelligentsia jegens het kapitalisme doet erg oud-links aan. 'Zoals ik het zie, maakt de democratie à la americana die we nu in Argentinië hebben, meer slachtoffers dan de dictatuur. Nieuw voor Argentinië zijn de werklozen, zij zijn de desaparecidos [vermisten] zoals veroorzaakt door die zogenaamde vrije markt.'

Tijdens een lang gesprek in zijn woning, een gerenoveerde bouwval in de wijk Palermo, waar Buenos Aires zijn naam van 'gran aldea' (groot dorp) eer aandoet, staat Bonasso uitvoerig stil bij het begin van die chaotische jaren zeventig waarin de kiem werd gelegd voor de gruwelijkste periode uit de geschiedenis van zijn land.

In Buenos Aires zijn begin 2001 veel grote posters te zien waarop de Montoneros worden verheerlijkt als jongeren die hun dromen najoegen. 'In die tijd hadden veel mensen, heus niet alleen jongeren, de overtuiging dat we de wereld moesten veranderen, dat we de wereld ook kónden veranderen. Ik vind dat nog steeds, want de wereld is een grote zwijnenstal.'

Bonasso belandde, pas afgestudeerd, bij Ford Argentina als woordvoerder en directieassistent. Hij had het ver kunnen schoppen in het landelijke of internationale establishment, maar werd aangestoken door het virus dat vanaf het einde van de jaren zestig ook de Argentijnse jongeren in zijn greep kreeg, met de meirevolutie in 1968 in Frankrijk als grote voorbeeld.

Bonasso sloot zich aan bij de Montoneros, een samenraapsel van leden van linkse en katholieke bewegingen die veel goeds verwachtten van Juan Perón, al hadden ze diens eerste regeringen niet of nauwelijks bewust meegemaakt. Als journalist en propagandist deed Bonasso, van Baskisch-Italiaanse afkomst, ervaring op bij onder meer de krant *La Opinón* van Jacobo Timerman. Die verweet hem een flinke partijdigheid jegens de peronisten, vooral jegens de man die zou dienen als de wegbereider van Peróns terugkeer naar Argentinië, Héctor Cámpora. Bonasso werd zijn woordvoerder en perschef tijdens president Cámpora's verblijf van slechts 49 dagen in de Casa Rosada. Bonasso: 'Het ging allemaal zo snel, en in zo'n chaotische periode, dat ik nooit voor die baan ook maar een cent heb ontvangen.'

Het blijkt al uit Bonasso's topfunctie: de Montoneros waren in die tijd veel meer dan alleen maar een strijdbeweging, want zij bestuurden Argentinië indirect. Perón had hen aanvankelijk hard nodig om zijn aanhang te mobiliseren bij zijn terugkeer. De beweging wist op een gegeven moment de fine fleur van de jeugd achter Perón te

krijgen, tal van schrijvers en intellectuelen, maar ook veteranen uit het eerste peronistische tijdperk waren vol
van het nieuwe revolutionaire elan.

De krant *Noticias*, geleid door Miguel Bonasso, werd
in zijn korte bestaan van negen maanden volgeschreven
door uitmuntende journalisten en schrijvers. Ze stonden
allemaal achter de Montoneros of maakten in het geheim
deel uit van de leiding, net als hun hoofdredacteur.

Bonasso erkent in *Diario de un clandestino* dat zijn
krant deels werd gefinancierd uit de losgelden die betaald
werden door de naasten van ontvoerde industriëlen. Dit
was een publiek geheim en veel Argentijnen zagen met
lede ogen hoe de Montoneros steeds meer invloed kregen
en de toenmalige minister van Economie, José Ber Gelbard, Bonasso en andere Montoneros zelfs meenam op
zijn buitenlandse reizen. Niet als journalisten, maar als
adviseurs. Meer dan eens hield Gelbard topberaad met
Montoneros-leider Mario Firmenich.

Al voor het begin van Cámpora's presidentschap op 25
mei 1973, bevond Argentinië zich in de greep van het geweld. De Montoneros en verwante groepen verkeerden in
staat van oorlog met rechtse peronisten, steeds luider
klonk onder de bevolking de roep om orde. Bonasso werd,
als straf voor zijn banden met de links geachte Cámpora,
ter dood veroordeeld door de Triple A, de Argentijnse Anti-
communistische Alliantie (AAA) van José López Rega,
bijgenaamd de tovenaar. Voormalig politiesergeant López
Rega vormde later de echte macht achter de troon van
Isabel Perón en zorgde ervoor dat Juan Perón zich van de
linkervleugel van zijn eigen partij distantieerde. Dit gebeurde in 1974 tijdens Peróns toespraak ter gelegenheid
van de 1ste mei, op het balkon van de Casa Rosada. Sindsdien waren de Montoneros in het defensief. Een politie-
inval kort na een bomaanslag maakte een eind aan het
bestaan van *Noticias*.

Tot afgrijzen van de Montoneros had Perón als hoofd-commissaris van politie van Buenos Aires een 'gorilla' be-noemd, zoals links de peronistische tegenstanders noem-de. Deze Alberto Vilar leidde hoogstpersoonlijk de inval op de redactie en beet de redacteuren toe: 'Ik weet dat jul-lie een lijkkist hebben met mijn naam erop, maar weet dat ik kisten bewaar met al jullie namen.' Vilar en zijn trawanten hadden eerst gebruld dat ze Rodolfo Walsh wilden spreken, ster-verslaggever van *Noticias* en een leidend figuur van de Montoneros. Hij werd na Videla's coup vermoord.

Bonasso dook na de staatsgreep onder in Argentinië, waar hij op de 32ste plaats op de lijst van de 'meest ge-zochte staatsgevaarlijke elementen' stond. Hij vluchtte in 1977 naar Rome, waar hij werd opgenomen in de lei-ding van de Montoneros in ballingschap. Drie jaar later brak hij met de organisatie, die volgens hem in links-sek-tarische handen was beland en haar leden de dood in-stuurde met onmogelijke opdrachten in het Argentinië van de generaals.

Bonasso vestigde zich als journalist in Mexico, alvo-rens terug te keren naar Argentinië, waar niemand hem zijn subversieve verleden echt kwalijk lijkt te nemen. 'Ach, soms krijgt mijn uitgever een scheldpartij per e-mail van een of andere gefrustreerde en hoogbejaarde mi-litair. Verder hoor ik er nooit meer iets over.'

Zijn boek *Recuerdo de la muerte* uit 1984, in 1989 verschenen onder titel *Herinnering aan de dood* (herzie-ne uitgave 2001), beschrijft de gruwelen waaraan zijn ka-meraden voor en tijdens het militair regime werden on-derworpen door de strijdkrachten of een van de vele geheime diensten. Het is een klassieker geworden van de Argentijnse literatuur. *Diario de un clandestino*, uitge-bracht in 2000, gaat over zijn onderduiken in Argentinië, de vermommingen om uit handen van de politie te blijven, de aanslagen op zijn leven, de reizen naar Europa en de gekte die Argentinië toen in zijn greep had.

Het is snikheet in Bonasso's woonkeuken. Hij is een nauwelijks te stuiten prater. Zijn vrouw merkt bestraffend op dat hij de avond tevoren tijdens een discussie meer dan een fles wijn heeft leeggedronken. Bonasso denkt na over een antwoord op de vraag waarom hij, al sinds zijn jeugd een intellectueel en wereldburger, het echtpaar Juan en Eva Perón zo bewonderde.

Voor een Europeaan is dat immers vreemd. Wij kennen Perón vooral als een operettedictator met een – door de rock-opera Evita (1977) beroemd geworden – vrouw die de massa's wist op te zwepen, maar verder toch vooral een tragische schertsfiguur was.

'Juan Perón was inderdaad een militair, iemand die na een staatsgreep [niet met hem aan de leiding] aan de macht was gekomen. Maar hij nam een voorbeeld, als jonge kolonel, aan nationalistische leiders als Nasser. Hij dacht als een echte Latijns-Amerikaan, die al ver voor Cuba dat deed een inter-Amerikaans persbureau oprichtte en een soort gemeenschappelijk Zuid-Amerikaanse markt voorstelde. Dat was opmerkelijk, want hij maakte aanvankelijk deel uit van een autocratisch militair regime. Gaandeweg, vooral na zijn ontmoeting met Evita, ontwikkelde hij zich tot een revolutionair, althans tot haar dood, in 1952, daarna werd hij steeds rechtser.

Dankzij Perón werd voor het eerst in de Argentijnse geschiedenis een begin gemaakt met de verdeling van de rijkdommen van ons land. Arbeiders en vrouwen raakten betrokken bij de politiek, tot die tijd vooral het domein van een zekere elite. De bourgeoisie heeft Eva altijd gehaat. Omdat ze een vrouw was die opkwam voor de rechten van de verdrukten, werd ze uitgemaakt voor prostituee.'

Bonasso vermeldt ook dat Argentinië het eerste Zuid-Amerikaanse land was dat erin slaagde uranium te verrijken, een wapenfeit dat ook uiterst conservatieve Argentijnen met trots vervult.

Miguel Bonasso was een jongen van twaalf, wonend in een beter gedeelte van Buenos Aires, toen Evita stierf aan baarmoederhalskanker. Hij herinnert zich de immense manifestaties van rouw, evenals, ongeveer een jaar later, de steeds krachtiger tegenstand die Juan Perón ondervond van de strijdkrachten waarin hij carrière had gemaakt.

Bonasso's bewondering komt vooral voort uit het feit dat Perón de moed had de strijd aan te gaan met de rooms-katholieke kerk. 'Dankzij Perón kende Argentinië ruim voor de andere landen een legale echtscheiding, kregen de vrouwen kiesrecht en werden joden op hoge posten geplaatst in de regering. Dat kon de kerk niet verkroppen. [...] Perón had verder moeten gaan, maar durfde niet. Hij had bijvoorbeeld de grootgrondbezitters moeten onteigenen, dat zou Argentinië later een hoop problemen hebben bespaard, een tegen de democratie complotterende landadel bijvoorbeeld.'

Bonasso heeft ook oog voor de minder fraaie kanten van het regime van Juan en Eva Perón. 'Hij was natuurlijk óók een typisch Latijns-Amerikaanse caudillo. Hij kon gul zijn met de verdeling van de rijkdom omdat Argentinië tijdens zijn eerste bewind schatrijk was door de verkopen van graan en vlees aan het verpauperde Europa. Hij wist de nieuw ontstane klasse van industriearbeiders in te palmen. De juiste man op de juiste plaats die het goede moment wist uit te kiezen. Ook is het waar dat hij nazi's alle gelegenheid gaf om zich in Argentinië te vestigen, maar de Amerikanen deden in feite hetzelfde.

Het is vreselijk dat Evita zo jong is overleden. Zij was een echte pasionaria, die in haar jeugd armoede en vernedering had gekend. Zij wist de massa's te mobiliseren. De Argentijnse arbeidersklasse was peronistisch. Als Evita nog had geleefd, is het maar de vraag of de militairen het hadden aangedurfd om Perón af te zetten, het volk zou zich zeker hebben verzet.'

In Bonasso's visie kon het niet anders of het echtpaar Perón belichaamde voor de Argentijnse jeugd het verzet tegen al die autoritaire regimes die het land sinds 1955 hadden bestuurd. De Argentijnse versie van de Franse mei-opstand in 1968 vond precies een jaar later plaats in Córdoba, een eeuwenoude universiteitsstad. Drie dagen lang hielden studenten en arbeiders de stad bezet, hier en daar vanaf daken vurend op leger en politie.

Tal van zoons en dochters van de bourgeoisie sloten zich aan bij priester-arbeiders of gewapende groepen. De Montoneros ontstonden pas later. 'Voor velen van ons was het peronistisch verzet na de coup van 1955 het grote voorbeeld van hoe we die latere dictaturen moesten bestrijden. Die arbeiders uit de jaren vijftig waren moedige mensen, die de dood riskeerden. Vergeet niet dat na die zogenoemde Revolución Libertadora het kranten verboden was de naam Perón af te drukken. Dat moest zijn: de afgezette dictator. De militairen probeerden Perón weg te vagen, uit het nationale bewustzijn te schrappen.'

Hebben bewegingen als de Montoneros dan geen enkele schuld aan het drama dat werd ingeluid met de coup van 24 maart 1976? Zit er niet veel waars in het argument dat de militairen wel moesten ingrijpen, omdat grote delen van de bevolking het geweld beu werden en het land steeds verder afgleed naar een verkapte burgeroorlog?

Miguel Bonasso vindt dat een verkeerde voorstelling van zaken. 'Extreem-rechtse groeperingen als de Triple A hebben veel meer slachtoffers gemaakt dan het linkse verzet. Rechts is de oorlog begonnen. [...] De oligarchie wilde terug naar de coup van 1955, wilde opnieuw proberen het peronisme uit te schakelen.'

Vicente Muleiro vindt ook dat Isabel Perón er een pot-

67

je van maakte, maar hij verwerpt de opvatting dat het leger gehoor gaf aan de stem des volks en wel een staatsgreep moest plegen. 'Het leger had helemaal geen coup nodig, want het bezat sinds 1975 al volmachten in de strijd tegen de guerrilla. Met het gevolg dat gewapende groepen in maart 1976 al zo goed als verslagen waren. Nee, het ging de strijdkrachten, in nauwe samenwerking met een deel van de burgerij, om een poging de klok in Argentinië terug te draaien, om een contrarevolutie in gang te zetten.'

Andere Argentijnen geloven er niets van en de kwestie zal tot in lengte van dagen een bevredigend antwoord ontberen, zoals Argentijnen ook diep verdeeld zijn over andere episodes uit hun geschiedenis: was de vroegere gouverneur van de provincie Buenos Aires, Juan Manuel de Rosas, nu een nationalist of een tiran, was Eva Perón een hysterica of een revolutionair, was Carlos Gardel een Argentijn of een Uruguayaan, wie in de artiestenwereld was goed of fout tijdens het peronistische regime in de jaren vijftig?

De historicus Félix Luna doorbrak in maart 2001 een soort taboe in liberale kringen door erop te wijzen dat de linkse revolutionairen naar zijn mening wel degelijk medeschuldig waren aan de tragedie die begon op 24 maart 1976.

Luna schreef het voorwoord in het speciale nummer dat *Todo es Historia* in maart 2001 uitbracht naar aanleiding van de herdenking van de putsch. Alle partijen, zowel de militairen en extreem-rechts als de guerrilla, deelden volgens hem een gebrek aan geloof in de democratie. 'De zogenoemde subversieve organisaties geloofden in geweld als middel om de politiek te veranderen, ze dachten dat ze de massa's alleen konden mobiliseren met gewelddaden. [...] Ze minachtten elke vorm van politieke activiteit, de politieke partijen, de vakbonden. Sommige jongerenorganisaties hingen een cultus aan van een held-haftige dood.' Luna wijst erop dat de strijdkrachten zo mogelijk nog minder geloof hadden in de democratie. Ook hij bewaart slechte herinneringen aan het eerste peronistische bewind, toen hij wegens zijn weigering zich te laten inpalmen werd opgepakt en mishandeld.

Afgezien van de schuldvraag is iedereen het erover eens dat Argentinië in de jaren voor Videla's coup een grote bende was. Het Revolutionaire Volksleger (Ejército Revolucionario del Pueblo, ERP), geïnspireerd door Guevara, riep de provincie Tucumán uit tot bevrijd gebied. En vanuit zijn Madrileense ballingschap hitste Perón de Montoneros op en gaf zijn goedkeuring aan allerlei gewelddaden, zoals de bestorming van kazernes.

Peróns volgelingen werden steeds beter bewapend en met hun guerrilla wisten ze de militaire president Alejandro Lanusse ertoe te bewegen het verbod op het peronisme op te heffen. De man die de terugkeer van Perón moest voorbereiden, interim-president Héctor Cámpora beloonde de muchachos, de jongens. Bij zijn aantreden op 25 mei 1973, een nationale feestdag, kondigde hij een algemene amnestie af voor alle 'vrijheidsstrijders', zoals hij zei, waar anderen liever spraken van terroristen.

De burgerij sloeg de schrik om het hart. Prompt nam de chaos toe, want de vrijgelaten guerrilleros legden zich steeds meer toe op het ontvoeren van rijke zakenlieden, zowel Argentijnen als buitenlanders. 'Op een gegeven moment waren de meeste buitenlandse managers door hun bedrijven teruggetrokken,' schrijft Luis Moreno Ocampo, de aanklager in het proces tegen Videla en de zijnen, in zijn memoires.

In 1974, enkele maanden na de dood van Juan Perón, verklaarden de Montoneros ook nog eens de oorlog aan zijn weduwe Isabel die, hoewel ook peronistisch, de kant van de repressie had gekozen.

In die tijd schoten linkse en rechtse peronisten elkaar overhoop. De bommen en kogels troffen natuurlijk ook mensen die niets met het conflict te maken hadden. Zowel Montoneros als de Triple A publiceerden de namen van hun volgende doelwitten. De interperonistische burgeroorlog vertoonde absurde en wrede trekken. De film *No habra más penas ni olvido* (een zin uit een loflied op Buenos Aires) schilderde begin jaren tachtig de strijd tussen de Montoneros en de rechtse peronisten. Gevangengenomen guerrilleros roepen, voordat ze worden gefusilleerd: '¡Viva Perón!' De leden van het executiepeloton aarzelen even, maar vuren toch, onder dezelfde kreet: '¡Viva Perón!'

De gewone Argentijnen, die, zoals burgers waar ook ter wereld, liefst zo ongestoord mogelijk wilden leven, begonnen weer te verlangen naar een sterke man. Veel ouderen, voor zover geen peronisten, waren als de dood voor een terugkeer naar de jaren vijftig, het hoogtepunt van de macht van Juan en Eva. Isabel Perón, constant op de rand van een zenuwinstorting, kon het presidentschap absoluut niet aan, wat niet zo verwonderlijk is voor een voormalige danseres die Perón had behaagd tijdens zijn korte ballingschap in Panama. In haar wanhopige pogingen het volk voor zich te winnen probeerde Isabel nu en dan Evita te imiteren.

Christiaan de Ronde herinnerde zich die tijd nog goed. Deze zeer linkse, wat wereldvreemde man zag in die jaren van bloed en chaos nog niet zoveel bezwaren tegen een militair ingrijpen. Zo was hij in 1955 zeer te spreken geweest over de coup tegen Juan Perón. Het bewind dat daarna kwam, volgens de peronisten dus een dictatuur van de bovenste plank, liet hem in elk geval met rust. Dat had hij van de peronisten niet kunnen zeggen.

'Ik kreeg problemen met die lui toen ik had geweigerd om met een stel kennissen een steunbetuiging aan Perón te ondertekenen,' herinnerde hij zich nog tijdens een gesprek in de Richmond. Kennissen waren mishandeld en gemarteld, zijn lijfblad *La Prensa* werd gesloten en na enige tijd weer uitgebracht onder leiding van een vertroweling van Evita.

De Ronde moest evenmin iets hebben van de Montoneros en andere guerrillagroepen. Hij schrok toen hij hoorde dat die in Nederlandse kranten weleens werden omschreven als 'bevrijdingsbewegingen'. Hij had er geen enkele behoefte aan om door deze lieden te worden bevrijd.

Destijds was hij veel te links om met de antiperonisten door de straten van Buenos Aires te defileren, maar hij walgde ook van het populisme van de Peróns, de ophitsende toespraken van Evita om 'de rijken' mores te leren, het gesol met armen uit de provincie die in het presidentieel paleis te eten kregen en onder de douche werden gestopt, en de dwang om bij collecties voor het peronistische liefdadigheidsfonds flink in de beurs te tasten.

De Ronde, die het liefst de hele dag doorbracht met de neus in boeken en kranten, urenlang terend op een kop koffie, altijd elegant maar toch wat sjofel gekleed, nimmer zonder hoed de straat op, was een gul mens. Hij had een mager inkomen als leraar Engels, maar zijn vrouw verdiende behoorlijk als kinderjuffrouw bij rijke families. In de oude buurt waar hij op verschillende adressen woonde, San Telmo, gaf hij bijles aan wie maar wilde. Geen geld was geen enkel probleem. Zo iemand trok de aandacht van het wijkcomité van de peronisten, dat hem goed kon gebruiken voor propagandadoeleinden. De Ronde heeft altijd geweigerd iets met de peronisten te maken te hebben en brak met bekenden die zich wel lieten overhalen tot steunbetuigingen.

De Ronde vreesde een terugkeer naar deze tijd toen Argentinië omstreeks 1975 opnieuw werd bestuurd door een peronistisch regime, en opnieuw een geliefde krant van hem in de problemen kwam. Ditmaal was dat *La Opinión* van de vermaarde Jacobo Timerman.

Timermans toenmalige rechterhand, Abrasha Rotenberg, schreef een boek over opkomst, in 1971, en ondergang, in 1977, van de krant die zich ten doel stelde een Zuid-Amerikaanse versie te zijn van *Le Monde*. Rond 1973 werd het Rotenberg duidelijk dat de Montoneros, op de redactie aangevoerd door Bonasso, de krant wilden inpikken door er zoveel mogelijk gelijkgezinden binnen te loodsen in afwachting van het juiste moment voor een 'coup' op de redactie.

Abrasha Rotenberg, net als Jacobo Timerman een zoon van immigranten uit de Oekraïne, was toen al wat ouder dan de jonge enthousiastelingen die in de naderende komst van Juan Perón een 'socialistische' toekomst zagen gloren, terwijl andere Argentijnen er alleen maar boze voortekenen in zagen, die overigens zouden uitkomen. Rotenberg, een joodse liberaal, verwonderde zich over hun fanatisme. 'Naar wat voor socialistisch vaderland, zoals ze zeiden, streefden die kinderen van de middenklasse, vaak opgeleid op katholieke scholen en instituten, vol van een warrige ideologie? Wat hebben ze gemeen met de uit marxistisch-linkse hoek afkomstige intellectuelen, vaak van joodse origine?'

Rotenberg schetst in zijn boek meer dan alleen de korte en zeer bewogen geschiedenis van een krant. Ook de chaotische jaren voor en kort na de putsch van 1976 komen aan de orde. Met de terugkeer van Juan Perón kwam de oorlog tussen linkse en rechtse peronisten in een nieuwe fase, het regende bedrijfsbezettingen en er werden zelfs aanvallen op radiostations in Buenos Aires gedaan. Rotenberg en zijn gezin werden in hun flat in het noorden van de stad overvallen door een mysterieus commando, dat hem dwong een grote som geld van *La Opinión* naar de flat te laten brengen.

Rotenberg, vader van de actrice Cecilia Roth, is er tot op de dag van vandaag niet zeker van of deze overvallers nu behoorden tot rechtse of linkse peronisten.

Op de krant had hij eerder knallende ruzies met Timerman die steeds nauwere banden was aangegaan met generaal-president Alejandro Lanusse, en daarmee de verdenking op zich laadde dat hij een sterke man prefereerde boven een democratisch gekozen staatshoofd. In feite waren veel Argentijnen het daar ook mee eens: alles liever dan Cámpora of Perón.

Rotenberg schrijft dat zijn baas en anderen gelijk kregen toen het land na Peróns dood met de dag onbestuurbaarder werd. 'Laten we eerlijk zijn, te vaak zijn we het slachtoffer van onze wens om te vergeten. Maar tegen het einde van 1975 hadden de meeste Argentijnen genoeg van het chaotische bewind van Isabel Perón. Niemand kon die onzekere toestand eigenlijk nog aan, een toestand geschapen door de daden van de guerrilleros, de dagelijkse onveiligheid op straat, de angst die zich van het land meester maakte, de willekeurige moorden, de zelfmoordaanvallen op kazernes, de angst van burgers dat hun kinderen zich zouden aansluiten bij een of andere gewelddadige groepering, de repressie die iedereen trof, de onmogelijkheid om in vrede te leven.'

Ook Rotenberg wekt de indruk de militairen toen nog als een 'minder kwaad' te beschouwen, al schrijft hij het nergens met zoveel woorden. Timerman, bedreigd door zowel de Triple A als de Montoneros, maakte geen geheim van zijn optimisme dat liberale militairen orde op zaken zouden stellen. Dat had hij persoonlijk gehoord van 'hooggeplaatste contacten in de strijdkrachten'.

De overgrote meerderheid van de burgers dacht inderdaad dat de militairen hetzelfde zouden doen als eerder: de orde herstellen, desnoods hardhandig, om de macht na korte tijd weer terug te geven aan burgers.

Luis Moreno Ocampo was in 1985 een van de aanklagers in het proces tegen de juntaleden. Schouderophalend doet hij de verhalen af dat Jorge Zorreguieta enkele maanden voor de coup zou hebben geroepen dat het bewind van Isabel Perón hoe dan ook ten val moest worden gebracht. 'Dat had hij dan gemeen met de meeste Argentijnen. [...] Niet alleen de oligarchen, maar ook democratische politici, vakbondsleiders, zelfs liberale Argentijnen als Jacobo Timerman en de Argentijnse Communistische Partij vonden dat het leger een eind moest maken aan de volstrekte anarchie die Argentinië toen in haar greep had.'

Hij acht het niet onwaarschijnlijk dat Zorreguieta in de maanden voor Videla's putsch heeft deelgenomen aan besprekingen van werkgevers, grootgrondbezitters en andere invloedrijke figuren die een werkgeversstaking organiseerden.

Moreno Ocampo is inmiddels voorzitter van een organisatie die de Argentijnen burgerzin moet bijbrengen. Daarnaast heeft hij een boek geschreven over het Proceso. Hij is het eens met een van de conclusies die Rotenberg in zijn boek trekt: 'Slechts een kleine minderheid van de Argentijnen geloofde op een gegeven moment nog in een politieke oplossing. Ook *La Opinión* stond vol stukken met gissingen over de dag dat de coup zou plaatsvinden. Dát de coup eraan kwam, stond vast. De militairen leken te wachten tot de toestand nog verder zou verrotten, dat duurde niet lang.

Na de [Argentijnse] zomer, op 24 maart 1976, vond de coup dan eindelijk plaats, een staatsgreep die met opluchting en hoop werd begroet door een aanzienlijke meerderheid: van de media tot de politieke partijen, van de kringen van de macht zelfs tot bepaalde intellectuelen.

Nu is het onmogelijk iemand te vinden die toegeeft destijds aanhanger te zijn geweest van het Proceso, zoals men ook niemand meer vindt die toegeeft buiten de Casa

Rosada te hebben gestaan met juwelen voor de oorlogsinspanning om de Islas Malvinas [Falklandeilanden] te heroveren. Mag men de mensen tegenwoordig geloven, dan hebben ze zich in maart 1976 vanaf de eerste dag verzet.'

Ook Abrasha Rotenberg vermoedde aanvankelijk dat het wel mee zou vallen, net als met de andere militaire regimes die hij had meegemaakt. Aanvankelijk eisten de militairen alleen dat *La Opinión* zich 'tot nader order' aan de censuur zou onderwerpen. Foto's van schaars geklede dames, geenszins een specialiteit van deze krant, waren voortaan streng verboden. Kort daarop kreeg Rotenberg te horen dat hij op een lijst stond van mensen die zouden 'verdwijnen'. Met zijn gezin nam hij de wijk naar Madrid.

De coup van 1976 luidde de ergste dictatuur in die Argentinië heeft gekend.

# 5

## Een zeer welkome coup

Nooit zal een Argentijnse dictator een warmer onthaal ten deel zijn gevallen dan Jorge Videla in de vroege ochtend van 24 maart 1976. De nieuwe dictatuur kreeg niet alleen de steun van de gebruikelijke verdachten ter rechter- en uiterst rechterzijde, maar ook van de Argentijnse Communistische Partij en zelfs van de guerrillaorganisatie ERP.

Het ERP, vooral bekend buiten Buenos Aires, hoopte op de terugkeer van een mate van recht-en-orde die een eind zou maken aan de bloedige chaos. *Todo es Historia* ontdekte, bij de samenstelling van een speciaal nummer ter gelegenheid van de 25ste verjaardag van de coup, een communiqué van ERP-leider Roberto Santucho. 'Een terugkeer van de militairen aan de macht is altijd een ramp,' aldus Santucho. 'Maar in dit geval kan de coup de toestand in ons land tot bedaren brengen, in die zin dat de repressie nu ordelijker zal verlopen, dat er mensen worden gearresteerd, maar ook berecht, dat er geen mensen meer "verdwijnen". Hopelijk is het nu afgelopen met de krankzinnige terreur van de Triple A. Zo kon Argentinië niet verder gaan.'

In werkelijkheid namen de strijdkrachten de methoden van de Triple A op veel grotere schaal over. Roberto Santucho werd al een paar weken na zijn verklaring doodgeschoten.

Zelfs de Montoneros, veruit de belangrijkste strijdgroep, met sinds het begin van de jaren zeventig een enorme aanhang onder de jongeren, stond niet geheel negatief tegen de coup. Er was sprake van een zekere opluchting onder het kader, omdat de vijand nu zijn masker had afgerukt. De putsch verloste de Montoneros van het dilemma dat zij vochten tegen een democratisch bewind, peronistisch nog wel, ook al was dat bewind onder Isabel Perón en López Rega steeds verder naar extreem-rechts opgeschoven.

Achteraf is het gemakkelijk schamper te doen over de naïviteit van de overgrote meerderheid van de Argentijnen, die niet wisten dat ze een schrikbewind toejuichten of in elk geval het voordeel van de twijfel gaven. Het zou velen later, te laat, vervullen met schaamte. Er is ook ook een andere houding mogelijk, namelijk van een zeker begrip voor die valse opluchting. De chaos onder Isabel Perón moet erg bedreigend zijn geweest. *La Opinión* schreef vijf dagen voor de coup: 'In Argentinië wordt dezer dagen om de vijf uur iemand doodgeschoten, om de drie uur ontploft ergens een bom.'

De staatsgreep was de tiende in de Argentijnse geschiedenis sinds 1806 en ook de 'populairste'. Dit verklaart tevens waarom het aantal slachtoffers van dit regime zo groot was. Juist omdat de militairen zich gesteund wisten door talloze landgenoten, dachten ze carte blanche te hebben voor een grote schoonmaak onder degenen die ze beschouwden als vijanden van de staat.

De putsch, die al zoveel maanden in de lucht hing, leek aanvankelijk op de voorgaande: de militairen zouden op hun zeer eigen manier orde scheppen, de pers aan banden leggen en allerlei constitutionele vrijheden opschorten. Na verloop van tijd, een paar maanden, hooguit een jaar, zouden ze de teugels vieren en de burgers voorbereiden op nieuwe verkiezingen.

De coup begon conform de traditie: de generaals gaven hun bewind een pompeuze naam. Andere autoritaire leiders hadden hun regimes gedoopt tot Revolución Argentina en de Revolución Libertadora. Het regime van Videla gaf zichzelf een zo mogelijk nog ronkender naam: Proceso de Reorganización Nacional.

Andrew Graham-Yooll, in 1976 en ook nu weer redacteur van het dagblad *The Buenos Aires Herald*, herinnert zich nog goed wanneer het hem begon te dagen dat dit geen 'business as usual' was. 'Dat was al drie of vier dagen na de coup. Na de aanvankelijke opluchting merkten we dat er vreemde dingen gebeurden. De eerste aanwijzing was een korte melding bij de nieuwsberichten op de radio dat een voormalige secretaris van Juan Perón, al een bejaard man, tijdens een vlucht voor het leger van een dak was gevallen en aan zijn verwondingen was bezweken. Wat deed zo'n oude man op een dak? En waarom zou hij willen ontsnappen, waarvan werd hij in vredesnaam beschuldigd?'

*The Herald*, toen onder hoofdredacteur Robert Cox, was met *La Opinión* van Jacobo Timerman de enige krant die zich niet geheel de wet liet voorschrijven door de censuur en dus trachtte nieuws te brengen over de enorme stijging van het aantal vermisten na de coup, ook van bekende schrijvers, kunstenaars en journalisten. Al snel bleek dat de ontvoeringen volgens een vast patroon verliepen: vier of vijf gewapende mannen in burger drongen het huis in, stalen alles wat los en vast zat en sleurden hun slachtoffers mee. Zelfs schoolgaande kinderen waren niet veilig.

Er was tijdens die eerste jaren na de coup geen centraal orgaan van de censuur. De Casa Rosada hanteerde andere normen voor de pers dan voor de marine, de luchtmacht, de politie of een van de inlichtingendiensten. 'We vormden met *La Opinión* een mobiel doelwit, iedereen kon naar believen op ons schieten en deed dat ook,' schrijft Rotenberg.

*The Herald* had het voordeel dat bijna de hele tekst in het Engels wordt gedrukt, een taal die veel censors niet begrepen of waarvan ze dachten dat toch niemand dat zou kunnen lezen. Helaas was het dagblad al sinds zijn oprichting aan het einde van de negentiende eeuw verplicht om in elk geval de hoofdcommentaren in het Spaans af te drukken. Die commentaren bevielen het regime niet, ook al omdat *The Herald* zelfs bij Argentijnen die geen woord Engels begrepen, de faam begon te verwerven van de enige krant die een kritisch geluid durfde te laten horen.

*La Opinión* probeerde de censuur op een andere manier te omzeilen: de krant gebruikte met opzet een uiterst juridisch taalgebruik, waarvan de betekenis de censors, maar ook veel andere Argentijnen ontging.

Familieleden van vermisten, vaak in gezelschap van een tolk, vervoegden zich bij de redactie van *The Herald* aan de calle Azopardo. De tolken waren vaak doodsbang, maar de familieleden waren vastbesloten en hoopten dat de redactie van de vrijgevochten krant hen zou kunnen helpen in de zoektocht naar het vermiste familielid.

Andrew Graham-Yooll en Robert Cox werden na verloop van tijd gesommeerd in de Casa Rosada, op loopafstand van de krant. Graham-Yooll herinnert zich die plezierig begonnen lunch nog goed. Aanwezig waren ook naaste medewerkers van Videla, allen burgers, en een hoge officier van de marine. De journalisten werden lang, maar beleefd, onderhouden over hun 'anti-Argentijnse houding', die tot uitdrukking kwam in het plaatsen van al die leugenachtige propaganda over mensen die verdwenen. Allemaal leugens. Dit regime was juist aangetreden om de orde te herstellen. Censuur was daarbij, tot nader order, even onplezierig als onvermijdelijk.

Dat ging zo door tot de koffie, toen de man van de marine, die tot dan toe voornamelijk had gezwegen, alle beleefdheid liet varen en de Britten toebeet: 'Hou op met dat gesodemieter in die klotekrant van jullie, of je krijgt écht met ons te maken.' Graham-Yooll werd kort daarop in veiligheid gebracht, de Franse ambassade was waarschijnlijk op de hoogte van een plan om ook hem te laten verdwijnen en dwong hem min of meer om met zijn gezin in een toestel van Air France met bestemming Parijs te stappen. Ook Robert Cox pakte later zijn biezen.

Jacobo Timerman was in die dagen eveneens regelmatig te gast in de Casa Rosada om de les te worden gelezen over de lasterlijke praatjes in zijn krant. Meestal werd hij vergezeld door de tweede man op de redactie, Abrasha Rotenberg. Timerman waande zich onkwetsbaar. Als 'bekende Argentijn' zou hem immers niets overkomen. Europese landen en de vs zouden niet accepteren dat het regime hem iets zou aandoen. Bovendien stond Timerman in grote lijnen zelfs achter Videla, die hij beschouwde als een gematigd man, die de steun verdiende van *La Opinión*.

Het alternatief was veel erger, dacht hij, want andere generaals, zoals Ramón Camps en Carlos Guillermo Suárez Mason, vonden Videla maar een slappeling. Hoe naïef, kan men nu gemakkelijk zeggen, was ook deze briljante, wispelturige, onuitstaanbare Jacobo Timerman. Hij werd kort na zo'n gesprek in het presidentiële paleis ontvoerd en verdween gedurende bijna drie jaar. Ook een bekende Argentijn, met goede connecties in de legertop, kon dus worden gemarteld. Timerman zou, bij de Amerikaanse verschijning van zijn boek *Gevangene zonder naam, cel zonder nummer* voorstellen zich tijdens een televisieuitzending te laten martelen, om de kijkers een indruk te geven van wat vele landgenoten van hem moesten doormaken.

Toch had Timerman Videla niet helemaal verkeerd beoordeeld. In zijn boek over het Proceso legt Luis Moreno Ocampo uit dat Timerman, opgesloten in een concentratiekamp, de inzet werd van de latere vete tussen Videla en admiraal Emilio Massera, de chef van de marine. De laatste wilde Timerman het liefst definitief laten verdwijnen, Videla verwachtte dat dat nog meer schade aan Argentiniës reputatie zou berokkenen. Behalve Moreno Ocampo bevestigen andere bronnen het verhaal dat Videla dreigde af te treden als Timerman niet snel zou worden vrijgelaten en het land werd uitgeschopt, wat uiteindelijk gebeurde.

Abrasha Rotenberg was de 'sommaties' naar de Casa Rosada wel gewend, ook al aan het begin van de jaren zeventig, enkele jaren voor Videla's machtsgreep. Edgado Sajón, een topadviseur en woordvoerder van president Lanusse, wilde hem spreken over van alles en nog wat. Rotenberg, redacteur van een krant met maar een kleine oplage, vond al die aandacht in zekere zin een hele eer, maar hij was ook een beetje bang, 's avonds laat of 's nachts als hij het labyrint van gangen in het paleis moest doorkruisen richting Sajóns kantoor. Deze topambtenaar, voormalig journalist, vond dat *La Opinión* veel te negatief schreef over zijn baas Lanusse. De pressie had resultaat, want Timerman draaide bij en zorgde ervoor dat een naaste vertrouweling een hoge post kreeg in Lanusses regering. Timerman beschouwde ook Lanusse als een gematigd man die, net als later Videla, kampte met extremisten in de militaire top.

En zo kon het gebeuren dat de bloem van de Argentijnse natie Videla aanvankelijk eerde als een keurige vent. 'Een democratische militair,' verklaarde de toenmalige leider van de gematigde Unión Cívica Radical, Ricardo Balbín. De Radicalen zijn sinds de jaren veertig met de peronisten verwikkeld in de strijd om de macht.

Voor *El Dictador* hebben María Seoane en Vicente Muleiro zo'n beetje iedereen gesproken die Videla vanaf de lagere school heeft gekend. Eigenlijk weet niemand iets slechts over de man te vertellen. Cadetten van de militaire academie waren opgelucht als Jorge Videla hen kwam inspecteren in de jaren vijftig: hij was streng maar rechtvaardig, geen sadist als andere officieren. Oud-leerlingen van zijn middelbare school, geleid door Frans-Baskische priesters in Buenos Aires, vonden hem onopvallend, maar correct tegen iedereen, een van de weinigen die zich niet bezondigden aan het pesten van groentjes. Wat wel opviel, was dat Jorge Videla in de vrije uren nooit met zijn medeleerlingen meeging op excursie in de 'rauwe buurten' van Buenos Aires, bij de haven. Hij was een oprechte brave Hendrik. Kerkgang en de dagelijkse ochtendmis op school waren voor hem geen straf.

Videla werd, eenmaal president, dermate gerespecteerd dat 's lands bekendste wetenschappers, intellectuelen, kunstenaars en schrijvers deelnamen aan zijn 'culturele lunches'. Na afloop lieten ze zich in de regel lovend uit over deze aimabele persoon, in wezen een democraat die met pijn in het hart de democratische vrijheden had opgeschort, hopelijk voor niet al te lang.

Ook een paar maanden na de coup, toen steeds duidelijker werd dat Videla's regime niet was wat het veinsde te zijn, kwamen eminente Argentijnen steeds weer op de proppen met de theorie van het mindere kwaad.

Jacobo Timerman geloofde in de Videla diurno, van overdag, die niets te verbergen heeft en meent wat hij zegt. De Videla nocturno, nachtelijk, die zijn opdrachten tot misdaden voor iedereen verborgen houdt, hadden toen weinigen ontdekt. Het onderscheid diurno-nocturno speelt een grote rol in *El Dictador*.

Volgens Jorge Luis Borges was er met Videla en de zijnen eindelijk een regering van caballeros, van echte heren, aangetreden. Borges zei dit in mei 1976 na een lunch met de president en andere schrijvers, onder wie Ernesto

Sabato. Deze zou later de onderzoekscommissie Conadep naar de verdwijningen en andere misdaden van de junta's leiden. Pas toen ontdekte waarschijnlijk ook Sabato wat voor persoon die 'bescheiden, intelligente en beschaafde man' – zoals hij zich ooit had uitgelaten over Jorge Videla – werkelijk was.

Borges opende later, aan de zijde van Videla, de Feria del Libro van Buenos Aires, een groot literair-commercieel evenement van de Spaanstalige boekhandel. 'Er zouden nog heel wat jaren voorbijgaan, en er zou nog heel wat bloed vloeien, voordat Borges begreep dat Videla niet de caballero was voor wie hij hem aanvankelijk hield,' schrijven Seoane en Muleiro.

Later zou Videla niet slagen in nieuwe pogingen om Borges voor zijn karretje te spannen. Het leek Videla wel leuk om Borges iets positiefs te laten zeggen over het Mundial van 1978, over de gastvrijheid waarmee Argentinië voetbalminnende burgers waar ook ter wereld zou bewijzen dat al die verhalen over terreur verzinsels waren. Borges weigerde met zo'n typisch borgiaanse opmerking: 'Een land kan niet worden vertegenwoordigd door voetballers, net zo min als door tandartsen. Argentinië heeft twee dingen die geen enkel ander land bezit: de milonga en dulce de leche [een mierzoute stroop op basis van suiker en melk die in Argentinië over veel desserts wordt gegoten]. Wat willen we nu nog meer voor identiteit?'

Videla zag af van verdere pogingen Borges in te schakelen na diens antwoord op het zoveelste verzoek om het imago van Argentinië op te vijzelen: 'U moet niet het imago verbeteren, maar de werkelijkheid.'

De aanvankelijke opluchting van Borges over de putsch tegen Isabel Perón was zo mogelijk nog begrijpelijker dan die van andere Argentijnen. In de jaren vijftig kreeg hij het aan de stok met het regime van Juan Perón, dat tegenstanders steeds harder aanpakte. Borges werkte toen in een gemeentebibliotheek in de wijk San Telmo van Buenos Aires. Hij werd ontslagen, mogelijk omdat hij had geweigerd steunbetuigingen aan het regime te ondertekenen, zoals toen in bepaalde kringen werd verwacht. Het regime bood Borges, met een wreed gevoel voor humor, wel een andere betrekking aan: die van inspecteur van gevogelte op de markten van Buenos Aires.

Een goede vriendin van Borges, Victoria Ocampo, weldoenster van minder draagkrachtige kunstenaars, deed in 1953 mee aan een betoging tegen Perón. Ze werd opgepakt en langdurig opgesloten in een cel met prostituees.

Videla en zijn regime beschikten aanvankelijk over een mogelijk nóg belangrijkere bondgenoot dan Borges of andere schrijvers en intellectuelen: de Partido Comunista Argentino, de PCA, met als bekendste leider Athos Fava. In zijn boek, en tijdens een gesprek in Buenos Aires, staat Luis Moreno Ocampo uitgebreid stil bij die wonderlijke alliantie tussen Videla en de communisten. Volgens Moreno Ocampo garandeerde de PCA lange tijd de steun aan Argentinië van de Sovjet-Unie en andere 'socialistische' landen.

De Argentijnse communisten waren altijd uiterst volgzaam geweest jegens Moskou. De partij was klein, maar niet zonder invloed in progressieve en intellectuele kringen. De PCA had nooit iets moeten hebben van de gewapende strijd door linkse guerrillagroepen die vanaf het eind van de jaren zestig de kop opstaken. In de peronistische regimes had de partij, niet zonder reden, fascistische trekken ontwaard. Naijver zal een rol hebben gespeeld in die beoordeling, want de Argentijnse arbeiders waren in meerderheid peronistisch.

De Argentijnse communisten beperkten hun steun aan Jorge Videla niet tot retoriek. Partijleiders bezochten Europese en Latijns-Amerikaanse landen met verzoeken om begrip voor Videla, zijnde een 'gematigd' man die erin was geslaagd om gevaarlijke heethoofden binnen de militaire top in toom te houden. Moskou wilde het graag geloven en bleef het regime de hand boven het hoofd houden in de Verenigde Naties.

De PCA juichte het toe dat Argentinië het Amerikaanse graanembargo tegen Moskou aan zijn laars lapte en op een gegeven moment 52 procent van zijn graanoogst verkocht aan de Sovjet-Unie. Dat was Jorge Zorreguieta's finest hour als staatssecretaris van Landbouw.

Luis Moreno Ocampo verklaart de houding van de Argentijnse communisten als volgt: de communisten waren getraumatiseerd door de coup van Pinochet in Chili in 1973, tegen de democratisch gekozen president Salvador Allende. Maar de Chileense communisten, die het verzet tegen Pinochet lange tijd monopoliseerden, gaven behalve Pinochet, de oligarchie en de CIA ook extreem-linkse groepen de schuld van de coup. Die hadden Allende steeds opgejut om haast te maken met de verwezenlijking van het socialisme, met als gevolg dat de middenklasse zich steeds nadrukkelijker tegen hem keerde.

Ook Argentijnse guerrillabewegingen als de Montoneros en het ERP speelden de opkomst van een Argentijnse versie van Pinochet in de kaart. Jorge Videla wist dat te voorkomen en verdient daarom onze steun, schreef Athos Fava in de maanden na de coup van Videla.

Moreno Ocampo citeert uitgebreid uit Fava's rapport aan het Centraal Comité van de PCA. 'Aan de vooravond van de coup leefde Argentinië in een klimaat van chaos, van onzekerheid. Onze partij steunt de vorming van een regering van burgers en militairen met het doel de natie weer op het rechte spoor te zetten. De strijdkrachten waren en zijn verdeeld in ruwweg twee stromingen: de gematigden en de pinochetistas. De gematigden zijn het talrijkst en worden aangevoerd door generaal Videla.'

Nu is het gemakkelijk die analyse te bespotten, maar

er zat een kern van waarheid in. Pinochet was in Chili de absolute alleenheerser, niemand in de junta of de militaire bevelhebbers in de regio kon in zijn schaduw staan. Videla kon onmogelijk hetzelfde beweren. Hij verkeerde in een permanente staat van oorlog met Emilio Massera, die zelf politieke ambities had, en kreeg het in de provincie Córdoba aan de stok met de regionale bevelhebber, generaal Benjamin Menéndez. Die vond vooral Videla's tolerantie jegens de communisten een grof schandaal en spaarde de leden van de PCA in 'zijn' gebied niet. Moreno Ocampo beweert zelfs dat het talloze malen is voorgekomen dat militairen of politieagenten tijdens razzia's communisten lieten gaan als ze hun partijkaart toonden, maar volgens andere bronnen is dit een wat optimistische lezing.

'Was er sprake van harden en gematigden [in de leiding van de strijdkrachten]. Hi hi, ik stond boven iedereen.' Dit antwoord gaf Jorge Videla lang na zijn aftreden aan de schrijvers van *El Dictador*. Videla stond toen al onder huisarrest in zijn bescheiden flat aan de avenida Cabildo in Buenos Aires. Vicente Muleiro en María Seoane hebben ruim vier jaar aan het boek gewerkt, met bescheiden medewerking van de man zelf. Een assistent van Muleiro en Seoane sprak enkele malen met hem, tussen augustus 1998 en maart 1999.

*Clarín* schreef ter gelegenheid van een voorpublicatie uit *El Dictador*: 'Ook in het jaar 2001 geloven veel Argentijnen nog steeds in de mythe van de gematigde Videla die hun land voor erger behoedde. Echter, Videla is de man die op 24 maart 1976 de meest dramatische periode uit de Argentijnse geschiedenis inluidde.'

*El Dictador*, verschenen in een eerste oplage van 25 000 exemplaren, doet zijn best om aan te tonen dat Argentinië en het buitenland heel lang geloofden in de rol van 'good guy' die Videla met overtuiging speelde. Een van zijn uitspraken, gedaan in een interview met de medewerker van Seoane en Muleiro, moet bewijzen dat hij persoonlijk zijn goedkeuring gaf aan het laten verdwijnen van echte of vermeende tegenstanders. Dat was allemaal overeengekomen tijdens besprekingen over de solución final, de Argentijnse versie van de Endlösung, die plaatsvond tussen 1977 en midden 1978. In die periode, tot het begin van het wereldkampioenschap voetbal, moest Argentinië verlost zijn van al die subversieve elementen.

Een aan Videla toegeschreven citaat uit *El Dictador* moet bewijzen dat Videla en zijn naaste medewerkers min of meer officieel hadden besloten om geen gevangenen te maken in de oorlog tegen de extremisten, maar om zich van hen te ontdoen.

Videla's woorden staan, op zijn speciale verzoek, in het boek niet tussen aanhalingstekens. 'Nee, we konden ze [de vermisten] niet fusilleren. Laten we zeggen dat we vijfduizend mensen wilden fusilleren. De Argentijnse maatschappij zou dat niet hebben geaccepteerd, niet hebben kunnen verdragen. Er was geen andere manier, daar waren we het allemaal over eens. En wie het er niet mee eens was, die ging weg. [...] Hadden we moeten laten weten waar de stoffelijke resten zich bevonden? Wat hadden we in dat geval moeten zeggen? Dat ze op de bodem van de oceaan lagen, op de bodem van de Río de la Plata, van de Riachuelo? Er is toen nog over gedacht om lijsten met de namen van de doden te publiceren. Maar toen kwamen meteen de bezwaren. Als we zouden toegeven dat ze dood waren, zou het meteen vragen regenen: wie had die mensen gedood, waar, hoe?'

In zijn in Nederland beroemde ingezonden briefje aan *La Nación* van 2 maart 2001, dat prins Willem-Alexander de Nederlandse pers dringend aanbeval te lezen, ontkent Videla deze en andere aan hem toegeschreven uitspraken ooit te hebben gedaan.

Achter het masker van de gesoigneerde beroepsmilitair, in zijn optreden ook veel 'burgerlijker' dan de schurken in uniform die Argentinië destijds bestuurden, ging een kil monster schuil. Seoane en Muleiro noemen in hun boek tal van voorbeelden om die bewering hard te maken. Videla stak geen vinger uit toen ook kinderen van kennissen in zijn geboortestadje Mercedes, een uur rijden van Buenos Aires, begonnen te verdwijnen. Zelfs niet als het zoons of dochters van medemilitairen waren. Wel voerde hij steeds dezelfde act op. 'Adrianita, wat vreselijk,' riep hij uit toen een hoge militair hem vertelde van de verdwijning van zijn dochter Adriana, een links-peronistische activiste die enige tijd bevriend was geweest met Videla's tweede zoon Jorge Horacio. Het bleef bij het veinzen van medelijden, de loze belofte zijn best te doen en een verwensing aan de 'beesten' die zoiets op hun geweten hadden. Het meisje, bleek later, was in de ESMA, een militair opleidingsinstituut dat tevens functioneerde als concentratiekamp, ter dood gebracht.

Ook deed Videla niets toen de Franse nonnen Léonie Duquet en Alice Domon verdwenen, van wie er een zijn ernstig gehandicapte zoon Alejandro met engelengeduld een beetje had leren lezen. Het leger gaf de schuld van de ontvoering aan de Montoneros, hetgeen moest blijken uit een communiqué van die strijdgroep. Er werd een foto van de nonnen op geplaatst, gezeten voor het wapenschild van de organisatie en enkele gemaskerde strijders. Later bleek dat een inlichtingendienst dit in elkaar had geknutseld. De nonnen, kon later worden vastgesteld, waren opgesloten in de ESMA. Het kan overigens heel goed zijn dat de gemaskerde mannen op de foto echte Montoneros waren die gevangen werden gehouden in de ESMA en met de nonnen moesten poseren.

Het is dan december 1977 en Frankrijk neemt de ontvoering van de twee landgenotes hoog op. Het heeft dan al een ernstig vermoeden over hun lot, want in tegenstelling tot andere Europese landen heeft Frankrijk zich nooit illusies gemaakt over de ware aard van het regime. Met de verkiezingsoverwinning van Jimmy Carter, die in januari 1977 aantreedt als president van de vs, krijgt Argentinië er nog een geduchte vijand bij. Carter kijkt niet alleen naar schendingen van de mensenrechten in communistische landen, maar ook naar die in bevriende naties.

Volgens *El Dictador* duurt de ergste repressie tot kort voor het Mundial, Luis Moreno Ocampo situeert haar van midden 1975 tot eind 1977, dus al beginnend voor Videla's putsch. 1977 was in elk geval een belangrijk jaar. Zeker na de verdwijning van Jacobo Timerman pakten de Amerikanen de junta hard aan. Videla moest Carters afgezant Patricia Derian, onderminister van Buitenlandse Zaken, speciaal belast met de mensenrechten, driemaal ontvangen. 'Staatsvijand nummer twee' werd Derian genoemd in onder meer de bladen *Gente*, *Somos* en *Para Ti*. Vijand nummer één was Mario Firmenich, de leider van de Montoneros die net als de juntaleiders in de gevangenis zou belanden en gratie zou krijgen. Het regime, dat zich liet voorstaan op zijn strijd tegen de vijanden van het vrije en christelijke Westen, werd in de ban gedaan door de leider van hetzelfde Westen en beschouwde Moskou steeds meer als zijn enige vriend van enig gewicht.

Bovendien komen in 1977 voor het eerst de Moeders van de Plaza de Mayo bijeen op het plein voor het presidentieel paleis, wat voor de oprichtster, Azucena Villaflor, later dat jaar haar ontvoering betekent. Ze is nooit meer teruggezien.

Hebe de Bonafini neemt de leiding over. In oktober 1977 plaatst *La Prensa* een oproep van 230 familieleden van vermisten. Ze eisen opheldering en stellen het regime aansprakelijk. Een van de ondertekenaars blijkt later, onder een schuilnaam, kapitein Alfredo Astiz te zijn, een marineofficier die infiltreerde in bijeenkomsten van de Moeders en enkelen van hen liet oppakken. Ook de Franse nonnen liet hij inrekenen.

Het Mundial, dat begint op 1 juni 1978, moet van het regime het Argentijnse imago in het buitenland verbeteren. De bevolking wordt opgezweept tot nationalistische hysterie. Het verzet, en dan met name van de Montoneros, roept na een aanvankelijke aarzeling niet op tot een boycot en hanteert de leuze 'Argentina campeón, Videla al paredón' (Argentinië kampioen, Videla tegen de muur). 'De Montoneros stellen niets in het werk dat het leven van de spelers, de talloze journalisten uit de hele wereld en de vele buitenlandse bezoekers aan Argentinië in gevaar kan brengen. Kom gerust naar Argentinië,' verklaarde Montoneros-leider Rodolfo Galimberti in Rome. Een halfjaar eerder hadden de Montoneros de gepensioneerde generaal vermoord die door de junta was belast met de organisatie van het w k. Dit met het argument dat het voetbalfeest uitsluitend diende ter meerdere eer en glorie van het regime.

Een opmerkelijk nevenverschijnsel duidde erop dat Argentinië dan een miserabel bewind mocht hebben, het was geen totalitaire dictatuur. De trainer van het Argentijnse elftal, César Luis Menotti, stond al jaren bekend als iemand die met peronistisch links had geflirt en die in de gaten werd gehouden op verdenking van banden met communisten. In een dictatuur die een maatschappij volledig aan zich onderwerpt, zoals destijds in de communistische landen, zou zo'n vorm van afwijkend gedrag niet worden getolereerd.

Er is veel voor te zeggen dat de poging voetbal propagandistisch uit te buiten een averechts effect had. In Europese kranten verschenen stukken over wat zich in Argentinië afspeelde achter de schermen van het voetbalfeest. Het regime ergerde zich vooral aan de Franse krant *Le Monde*, misschien omdat het in zijn ambassade in Parijs een soort informatiecentrum had opgericht om de lezing van de junta voor het voetlicht te brengen. Verslaggevers uit de hele wereld beperkten zich niet tot verhalen uit de stadions, maar spraken ook met de Moeders en andere deelnemers aan het verzet.

Michiel Baud schrijft in zijn boek opmerkelijke zaken over Argentijnen die het regime haatten, maar toch niet te spreken waren over de internationale pers. Robert Cox van *The Buenos Aires Herald* had het gewaagd lijsten van verdwenen mensen te publiceren. Toch traden buitenlandse journalisten, even over voor het wk, hem kennelijk nog tegemoet met een geheven vingertje omdat hij bleef doorwerken. In een brief aan een Zweedse journaliste vergeleek hij buitenlandse collega's met 'vampiers, naar bloed dorstend'. Baud geeft voorbeelden van strijders voor de mensenrechten die buitenlandse journalisten verweten uit sensatiezucht het aantal vermisten te overdrijven.

Ook de door buitenlandse medialui gehanteerde woordkeus ergerde destijds nogal wat Argentijnen. Zo werden de Montoneros, die vooral vanuit Europa een campagne leidden tegen de junta, vaak aangeduid als een 'bevrijdingsbeweging'. Er was op dat moment nauwelijks een Argentijn te vinden die zich door deze linkse peronisten wilde laten bevrijden. Baud komt er steeds weer op terug: veel Argentijnen die het regime verwensten, voelden zich ongemakkelijk bij de buitenlandse kritiek die de gehele bevolking in de beklaagdenbank zette.

De 'marxistische subversie' was in 1978 goeddeels uitgeschakeld, maar tot in 1979 en 1980 vonden er nog heel wat aanslagen plaats, onder meer op de staatssecretarissen Guillermo Walter Klein en Juan Alemann. Niet alleen de Montoneros en het erp maakten zich er schuldig aan, ook de verschillende inlichtingendiensten zagen niet op tegen een aanslag. Zo werd de woning van Alemann getroffen door een bom die, zo bleek later, geplaatst was door de inlichtingendienst van Massera's marine. Het betrof een oude vete, want Alemann had geklaagd over de hoge kosten van de bouw van al die nieuwe stadions, terwijl de burgers werden lastig gevallen met broekriemverhalen. Dat kon in het Argentinië van destijds gevaarlijk zijn, ook voor leden van de regering die tijdens het kabinetsberaad hun plaats niet wisten. De bom bij Alemanns huis ontplofte enkele uren nadat Argentinië Peru met 6-0 had verslagen.

Volgens eigen opgaven pleegden de Montoneros in 1976 en 1977 ongeveer duizend aanslagen, waarbij tegen de vijfhonderd mensen omkwamen. In *El Dictador* geldt 1980 als het jaar waarin de Montoneros de strijd definitief staakten. Diverse leden weken uit naar Nicaragua om, net als de weinige overlevenden van het ERP, de Sandinisten bij te staan. Speciale Argentijnse brigades vochten in de voorste linies tegen de troepen van het regime van Anastasio Somoza, dat op zijn beurt werd gesteund door Argentijnse militaire instructeurs. Na de overwinning van de Sandinisten bleven de Argentijnen in Nicaragua, maar nu waren de rollen omgedraaid. De Montoneros en andere Argentijnse veteranen traden op als officieren van de regeringsstrijdkrachten die het aan de stok hadden met de Contra's. Deze rechtse verzetsstrijders werden opgeleid door de Argentijnse militairen die eerst het regime in Managua hadden gediend. Een commando van het ERP doodde in 1980 in Paraguay de gevluchte Somoza.

Tot het eind van de dictatuur eind 1983 hebben de opeenvolgende junta's in Argentinië altijd iets absurds gehad, afgezien van de wreedheden die ze begingen. De leiders namen geen genoegen met de rol van simpele uitvoerders van de bevelen van 'el jefe', zoals in het Chili van Pinochet. Admiraal Massera speelde met de gedachte later een eigen politieke partij op te richten, de Partido para la Democracia Social, en bood in de ESMA gevangengehouden Montoneros aan hem te helpen. Sommigen stemden toe en schreven zijn toespraken, vertaalden stukken uit buitenlandse kranten, legden archieven aan en zorgden voor de ideologische basis voor de invasie op de Britse Falklandeilanden in 1982. Sommigen schreven ook artikelen in Massera's eigen krantje, *Convicción*.

Massera, die nu onder huisarrest staat, zoals iedereen die destijds beschikte over leven en dood, hield woord en liet de met hem meewerkende Montoneros in leven. Andere beulen kregen verhoudingen met vooraanstaande Montoneros en vluchtten met hen naar het buitenland, vooral Zuid-Afrika, toen de dag van de afrekening naderde.

Het had weinig gescheeld of 1978 was, behalve het jaar van het WK, ook het jaar van de Argentijnse invasie in Chili geworden, een duidelijke aanwijzing dat de militaire leiders ze niet meer allemaal op een rijtje hadden. Alleen bemiddeling van paus Johannes Paulus II kon een oorlog voorkomen. Deze episode bewijst eens temeer dat Videla de strijdkrachten niet onder controle had, want pas toen het al bijna te laat was, merkte hij dat eenheden van de marine, de landmacht en de luchtmacht al klaarstonden om het territoriale geschil over het Beaglekanaal bij Vuurland met geweld op te lossen. Videla voorzag als enige dat de reputatie van zijn land deze dreun niet meer te boven zou komen en vreesde de gevechtskracht van de Chilenen. Weer een bewijs dat Videla toch minder rabiaat was dan andere militairen.

Augusto Pinochet zou deze oorlog op het nippertje voorkomen. Hij aarzelde geen moment toen Groot-Brittannië hem om steun vroeg in de Falklandoorlog.

Vanaf 1979/1980 werd het voor de gemiddelde Argentijn – ook voor Jorge Zorreguieta – steeds moeilijker te beweren dat de junta bestond uit louter caballeros. Delegaties uit de vs en Latijns-Amerika mochten eindelijk naar Buenos Aires om poolshoogte te nemen. Honderden burgers stonden in de rij om de vermissing van naasten te melden. In eigen land stuitten zij nog op een muur van ongeloof en gebrek aan medewerking en liepen zelfs de kans zelf te worden gebrandmerkt als staatsgevaarlijk element, met alle risico's vandien. Zelfs de gemuilkorfde pers kon de lange rijen wachtenden voor de delegatie van de Organisatie van Amerikaanse Staten (oas) niet negeren, al maakten diezelfde kranten, vooral *La Nación*, zich schuldig aan een haatcampagne tegen de buitenlandse bemoeials. Ze lieten zich niet intimideren door het regime, dat opnieuw probeerde 's lands voetbalsuccessen uit te buiten. Tijdens het bezoek van de Commissie voor de Mensenrechten oas aan Buenos Aires werd in Japan het Argentijnse jeugdteam, met Diego Maradona, wereldkampioen. Ook toen, net als bij het Mundial, werd voetbalcommentator José María Muñoz ingeschakeld om die 'slechte Argentijnen' die 's lands reputatie te grabbel gooiden met al die verzonnen verhalen, een lesje te leren. Muñoz riep de voetbalsupporters op om naar het gebouw aan de avenida de Mayo te gaan, waar burgers bij de buitenlandse commissie aangifte wilden doen van de vermissing van hun verwanten. Ze moesten geen geweld gebruiken, drukte Muñoz hen op het hart, maar wel de oude leuze van het Mundial over het respect voor de mensenrechten scanderen.

Amnesty International bracht een rapport over de concentratiekampen uit en grote kranten als *Clarín* publiceerden petities waarin min of meer bekende burgers opheldering eisten over de vermisten. Op 14 oktober 1980 werd de Nobelprijs voor de Vrede toegekend aan de

Argentijn Adolfo Pérez Esquivel, een onbekende, discrete kerkelijke activist, schilder en beeldhouwer, die kort na de coup was opgepakt en werd gemarteld.

Het aantreden van Videla's opvolger, Roberto Viola, op 29 maart 1981 ging gepaard met een verharding van de repressie. Viola kreeg te maken met een rebellie van militairen, aangevoerd door de eeuwige dwarsligger generaal Mario Menéndez in Córdoba. Onder druk van Viola's troepen bond Menéndez op tijd in. Toch was dit conflict voor andere militairen uiteindelijk aanleiding om Viola af te zetten. De barse generaal Leopoldo Fortunato Galtieri nam eind 1981 de leiding over. In die periode was er al sprake van toenadering tussen militairen en politici, maar laatstgenoemden wilden niets weten van de amnestie die de militairen eisten in ruil voor de overdracht van de macht.

Op 30 maart 1982 vond de eerste belangrijke betoging sinds het aantreden van het regime plaats. De peronistische vakbond CGT had opgeroepen tot een mars naar de Plaza de Mayo. De woede gold de snel verslechterende economische situatie, waaronder de enorme inflatie, niet de schendingen van de mensenrechten.

Op 2 april bezetten Argentijnse troepen de Falkland-eilanden. Negen dagen later juichte een menigte Galtieri toe, die zich op een balkon van de Casa Rosada al een tweede Perón waande. Als de Britse premier Margaret Thatcher niet de moed had gehad de Falklands te heroveren, zat Galtieri nu waarschijnlijk nog in het presidentiële paleis.

Al ruim voor het Falklands-debacle begon de vrijheid in Argentinië terug te keren. Het blad *Humor*, duidelijk geïnspireerd door het Amerikaanse *Mad*, tekende Galtieri op spotprenten steeds als een wankelende dronkaard, het onafscheidelijke glas whisky in de hand. Sommige nummers werden verboden, maar andere waren overal verkrijgbaar. Kioskhouders kregen alleen het dringende verzoek het blad niet prominent op te hangen.

Een ander teken van een zekere liberalisering was dat *The Buenos Aires Herald* tijdens de Falklandoorlog niet verboden werd, maar slechts geboycot, onder meer door de bond van kioskhouders. Omdat de burgers een andere versie van de oorlog wilden lezen dan die welke de Argentijnse media móesten brengen, vormden zich voor het gebouw van *The Herald* lange rijen lezers. Na de oorlog zou blijken dat ook de Britten het een en ander wisten van propaganda in oorlogstijd: zij hadden het gerucht verspreid dat hun Nepalese huurlingen, de Gurkha's, hun tegenstanders met messen afmaakten en ontmanden.

Na de nederlaag tegen Thatcher – op Argentijnse spotprenten afgebeeld als een piraat – zocht het regime zo snel mogelijk naar de uitgang. Het volk, dat hem eerst had toegejuicht, dreigde Galtieri nu op te knopen op de Plaza de Mayo. De censuur bestond nog wel, maar niemand stoorde zich er nog aan. In kranten en boeken verschenen ontluisterende verhalen over de kleumende, hongerige dienstplichtigen op de Falklands, vaak afkomstig uit provincies met een tropisch klimaat als Corrientes. *Los chicos de la guerra* (De jochies van de oorlog) van Daniel Kon was de grootste bestseller. Opvallend in dit bijna geheel met interviews gevulde boek is het volslagen gebrek aan haat jegens de Britse tegenstanders. De haat van de chicos trof de junta, die had getracht zijn regime te verlengen met een krankjorem militair avontuur, waar Galtieri later voor berecht en veroordeeld werd.

Generaal Reynaldo Bignone volgde hem op 22 juni 1982 op. De luchtmacht en de marine hadden zich toen al van het Proceso gedistantieerd. Het democratische Argentinië krabbelde overeind en eerde de strijders van het eerste uur, onder wie de Moeders van de Plaza de Mayo. De militairen beloonden zichzelf nog snel met een amnestie, terwijl in de pers geen dag voorbijging zonder nieuwe meldingen van de vondst van massagraven.

Op 30 oktober 1983 werd Raúl Alfonsín verkozen tot president. Deze leider van de Unión Cívica Radical, traditioneel de partij van de op Europa gerichte middenklasse, versloeg de peronist Italo Luder, wiens Partido Justicialista zich volgens velen te meegaand had getoond met de militairen. Een van Alfonsíns eerste besluiten na zijn beëdiging op 10 december was het ongeldig verklaren van de amnestie voor de militairen.

De echte confrontatie met het verleden moest nog komen. Velen, onder wie naar hijzelf zegt Jorge Zorreguieta, geloofden pas in 1984 wat voor gruwelijks zich in hun land had afgespeeld. In dat jaar publiceerde de onderzoekscommissie Conadep haar bevindingen, op basis van duizenden verklaringen van getuigen.

De jurist Luis Moreno Ocampo kreeg van zijn moeder de wind van voren toen ze hoorde dat haar zoon een hoofdrol vervulde in het proces tegen de juntaleiders. 'Ze beschouwde Jorge Videla als een keurige man, ze had hem weleens in de kerk gezien, hij had Argentinië gered, laat die man met rust.'

Moreno Ocampo eiste levenslang tegen Videla, en tot die straf werd hij ook veroordeeld. De verklaringen van de getuigen tijdens het proces waren meer dan veel Argentijnen konden verdragen. 'Toen mijn moeder eenmaal wist tot wat voor gruweldaden Videla opdracht had gegeven, dacht ze er anders over. Ze had in 1976 van hem gehouden, zei ze, maar nu verdiende hij straf voor wat hij mede-Argentijnen had aangedaan.'

# 6

## Ontwaken uit de nachtmerrie

Op een kille donderdagmiddag wordt in De Balie in Amsterdam het filmfestival van Amnesty International gehouden, met natuurlijk veel films uit en over Argentinië. In de grote zaal wordt voor een twintigtal geïnteresseerden *Garage Olimpo* gedraaid, een gruwelijke film over een concentratiekamp tijdens de eerste jaren van de dictatuur. Op het moment dat het handjevol toeschouwers de foyer opzoekt, wordt in Den Haag de laatste hand gelegd aan de officiële bekendmaking van de verloving van Willem-Alexander en Máxima Zorreguieta.

De regisseur van *Garage Olimpo* is Marco Bechis, die zelf gevangen heeft gezeten in het kamp Club Atlético. Hij beseft dat dit soort rauwe films over het recente verleden in Argentinië doorgaans weinig toeschouwers trekt. 'De Argentijnen willen het liefst vergeten wat er tijdens de dictatuur is gebeurd.' Progressieve kranten als *Página 12* schreven weliswaar positief over de film, en er werd ook veel reclame voor gemaakt, maar het grote publiek bleef weg. *Garage Olimpo* ging in 1998 in vijftien zalen in première, maar al na twee weken werd de film uit de roulatie gehaald. 'Veel Argentijnen dachten misschien dat ze niet nog eens een film over martelingen wilden zien.'

Bechis is teleurgesteld over de manier waarop Argentinië omgaat met zijn verleden. 'Ook intellectuelen reageerden nauwelijks op de film. Schrijvers, historici, journalisten, ik kwam nauwelijks met ze in gesprek. Ze zagen me als een indringer uit Italië die zich niet met hun zaken moest bemoeien.' Bechis verbleef, nadat zijn ouders hem uit de clandestiene gevangenis wisten te krijgen, lange tijd in Italië in ballingschap.

Het is niet helemaal waar dat het land die vreselijke tijd liever verdringt: Luis Puenzo's *La Historia Oficial* was in 1985 een enorm succes, zowel in als buiten Argentinië. Het is het verhaal van een lerares geschiedenis en haar man, een advocaat met goede banden met het regime, die een dochter adopteren die, zo blijkt uit naspeuringen van de Grootmoeders van de Plaza de Mayo, in een geheime gevangenis is geboren en meteen daarop is weggevoerd. De moeder van het kind verdween. Elke Argentijn kon dus uiterlijk in 1985 weten wat zich had afgespeeld, want de film bracht een vloedgolf van onthullingen en verklaringen van getuigen teweeg.

Het kostte sommige Argentijnen meer tijd om te ontwaken uit de nachtmerrie van de dictatuur, vooral degenen die zichzelf hadden wijsgemaakt dat het allemaal wel was meegevallen, dat de vermisten toch niet voor niets zouden zijn opgepakt. 'Iets' zouden ze toch wel op hun kerfstok hebben.

Jorge Zorreguieta kan met wat goede wil bij die categorie worden ingedeeld, die misschien wel een meerderheid van de bevolking uitmaakt. Professor Baud benadrukt het effect van deze houding op de slachtoffers. 'Deze ontkenning van repressie en willekeur moet uiteindelijk het meest pijnlijk voor de slachtoffers zijn geweest. Het was bijna onverdraaglijk te beseffen dat, terwijl zij te lijden hadden onder de repressie, delen van de Argentijnse samenleving openlijk en overtuigd de ontmanteling van de rechtsstaat en de schending van de fundamentele mensenrechten meenden te moeten goedpraten.'

Alleen als het verdringen, het veinzen van onwetendheid niet langer kan, storten de vaak stoïcijnse Argentijnen hun hart uit. Dat gebeurde bij de nederlaag in de Falklandoorlog in 1982. De natie voelde zich vernederd, zeker degenen die aanvankelijk hadden staan juichen bij de mesjogge expeditie van Leopoldo Galtieri. 'Huil niet, vaderland' is de titel van een gedicht dat in de tijd van de nederlaag werd voorgedragen in een opvangcentrum voor Falkland-veteranen. Amalia de Fortabat, lid van de Argentijnse aristocratie, kwam hen een hart onder de riem steken.

De Argentijnen zijn een zwaar beproefd volk. De oorlog om de Islas Malvinas, zoals de Falklandeilanden in Argentinië heten, vond plaats in de nadagen van de militaire dictatuur. Elk volk zou in de war raken van zo'n snelle opeenvolging van rampen. De verwerking van het verlies van de oorlog tegen de Britten gebeurde redelijk snel en de oorlog had ook een positief effect: de junta probeerde zijn huid te redden en wilde zo snel mogelijk van de macht af.

Wel werd het eeuwige getob over de Argentijnse identiteit door de Falklandoorlog versterkt. De dictators van deze 'Europese' natie beschouwden zich opeens als volbloed Zuid-Amerikanen, in de hoop op steun van landen als Brazilië en Peru. Die lieten Argentinië, dat hen altijd met minachting had bejegend, na enkele halfbakken bemiddelingspogingen echter barsten. Chili hielp de Britten zelfs, in de wetenschap dat als de Falklands in Argentijnse handen bleven, de dolle dictators in Buenos Aires een grensgeschil om het Beaglekanaal met geweld zouden trachten op te lossen.

Groot-Brittannië was wel het laatste Europese land waarmee de Argentijnen een conflict hadden verwacht, want de elite is uiterst anglofiel en heeft zich nooit druk gemaakt over de Falklinas, zoals degenen die zich niet duidelijk willen uitspreken spottend zeggen. Argentinië koesterde dat Britse stempel juist altijd, men dacht zich positief te onderscheiden van de andere landen in Zuid-Amerika. De Amerikaan James R. Scobie schrijft daarover in *Argentina, a city and a nation*: 'Vanaf de onafhankelijkheid tot de Eerste Wereldoorlog kon Argentinië met enig recht worden beschouwd als een Spaanstalig aanhangsel van het British Empire. De Argentijnse oligarchie trad op als belangenbehartiger van de Britse belangen, eerder dan van het Argentijnse nationalisme. Naarmate Argentinië Europeser werd in bloed en cultuur, en Buenos Aires steeds meer op Parijs begon te lijken, keken Argentijnse diplomaten neer op het erfgoed van de buurlanden. Argentinië stelde weinig belang in Latijns-Amerika, maar bleef gericht op Groot-Brittannië. Toen, na 1889, de Verenigde Staten economisch en diplomatiek zuidwaarts oprukten, bleven Argentijnse staatslieden trouw aan hun pro-Britse sentimenten. Zij wierpen zich op als een bolwerk tegen de yanqui-pogingen om solidariteit te kweken onder de Zuid-Amerikaanse naties.'

Londen zou zich die bewezen Argentijnse diensten aan het Empire niet herinneren toen de junta van generaal Galtieri de Falklands bezette. Het regime pruilde en trachtte Buenos Aires van Britse sporen te ontdoen. Het Plein van de Engelsen, in de wijk Retiro, werd omgedoopt tot Plein van de Argentijnse Luchtmacht, het enige strijdmachtonderdeel dat zich in de Malvinasoorlog behoorlijk had geweerd. De klokkentoren op het plein heet echter nog steeds de Torre de los Ingleses, van de Engelsen. De toren was een geschenk van de Engelse gemeenschap aan Argentinië in 1910, bij het eerste eeuwfeest van de onafhankelijkheid. Ook sommige naar Britten vernoemde straten in de betere buurten hielden hun naam, maar de calle Canning, naar een Britse diplomaat, werd omgedoopt in calle Raúl Scalabrini Ortiz, een nationalistische schrijver uit de jaren dertig die later Juan Perón zou loven. Een hofdichter werd hij nooit, maar hij schreef wel een boekje dat de Argentijnse ziel blootlegde: *El hombre que está solo y espera* (De man die alleen is en wacht).

De raciale harmonie leek door de Falklandoorlog even in gevaar te komen. Mensen die vonden dat Italianen een negatieve invloed hadden en hebben bij de natievorming, zagen hun gelijk in het conflict met de Britten: Galtieri was immers een 'Italiaan', net als andere ongure elementen die zich tijdens het schrikbewind van Argentinië hadden meester gemaakt, zoals Roberto Viola, admiraal Armando Lambruschini, luchtmachtgeneraal Omar Graffigna en, misschien de ergste van allemaal, admiraal Emilio Massera.

De verwerking van de jaren 1976 tot 1983 was ingewikkelder dan het Malvinastrauma en is nog steeds niet behoorlijk voltooid, getuige ook de bizarre uitspraken van Jorge Zorreguieta over het tijdstip waarop hij vernam wat het regime waarvan hijzelf deel uitmaakte, had uitgehaald.

Argentijnen zijn verzot op psychologie, psychoanalyse en allerlei vormen van therapie. In de betere delen van Buenos Aires, vooral in de uitgestrekte wijk Belgrano, wonen zoveel zielenknijpers dat één buurt de bijnaam Villa Freud heeft gekregen. Het weekblad *Psicología* ligt, in een oplage van 150 000, verspreid op de leestafels van cafés en confiterías, tearooms van vaak enorme afmetingen. Het blad is gratis: adverteerders zat.

Al ruim voordat de historicus Baud op de dag van de verloving zijn boek presenteerde – met de stelling dat Zorreguieta alles moet hebben geweten van de gruwelen onder het Videla-regime, maar ze ontkende – werd het gedrag van Jorge Zorreguieta door de Argentijnen geanalyseerd. Al psychologiserend concludeerde iedereen hetzelfde, van de psycholoog tot de krantenverkoper: Zorreguieta lijdt aan hetzelfde verdringingssyndroom als zoveel landgenoten.

Andrew Graham-Yooll heeft eerder met het Zorreguieta-syndroom kennisgemaakt. 'Een goede kennis van mij, een Argentijnse zakenman, en een verwoed anglofiel, las altijd trouw *The Herald* voor en na de coup van 1976. Wij waren de enige krant die meteen publiceerde over de verdwijningen en andere gruwelen. Later, jaren later, kwam ik hem weer tegen. "Andrew, ik wist echt van niets," bezwoer hij steeds weer. Dat was natuurlijk niet waar, maar de man was in zijn eigen leugen gaan geloven.'

Graham-Yooll kent meer van dergelijke gevallen. Bijna altijd betreft het welgestelde lieden die regelmatig in zijn krant adverteerden en perfect op de hoogte waren wat het Proceso van Videla inhield.

'Na verloop van tijd werd me een patroon duidelijk in die ontkenningsmanie. Natuurlijk wisten die gentlemen wat er aan de hand was. Maar die kennis kon gevaarlijk zijn. Als je iets van iemand wist, kon je daarover ondervraagd worden, dus ook automatisch worden gemarteld, welke maatschappelijke positie je ook bekleedde. Het was dus maar het veiligst om niets te weten, niets te willen weten.'

Pas in 1984, drie jaar na zijn aftreden, vielen Zorreguieta de schellen van de ogen, vertelde hij professor Baud en Max van der Stoel. Dat was al een jaar nadat Raúl Alfonsín de eerste democratische presidentsverkiezingen sinds Videla's putsch in 1976 had gewonnen.

Waarschijnlijk speelde het in 1984 verschenen Conadep-rapport over alle aspecten van het staatsterrorisme voor Zorreguieta een grote rol. Wie toen nog niet geloofde dat er gruwelen hadden plaatsgevonden, was niet voor rede vatbaar. De dubbelzinnigheid van veel Argentijnen jegens de coup en het regime wordt fraai en bitter geïllustreerd in de persoon van de voorzitter van de Conadep, de schrijver Ernesto Sabato, die aanvankelijk ook zeer te spreken was over de coup van Jorge Videla.

Het eerder genoemde boek *No somos tan buena gente*

staat uitgebreid stil bij dit ontkenningssyndroom waarvan ook Zorreguieta waarschijnlijk nog niet geheel is genezen. De analyse van de schrijvers luidt dat Argentinië in de twintigste eeuw zoveel legercoups en autoritaire regimes heeft gekend dat het zwijgen over onwelgevallige zaken voor velen Argentijnen een tweede natuur is geworden. Burgerzin tonen was vaak levensgevaarlijk, zeker tijdens Videla's dictatuur.

Dat angstige zwijgen was allerlei dictators van groot nut. Aanvankelijk deden zij hun voordeel met twee uitdrukkingen die in Argentinië sinds de laatste dictatuur voorgoed zijn besmet: 'por algo serán' en 'algo habrán hecho', met de strekking 'ze zullen toch wel iets op hun geweten hebben'.

Dat 'ze' sloeg op de vele vermisten, en de wrede gissingen over hun mogelijke schuld was jarenlang, misschien wel tot 1984, de dooddoener aan het adres van radeloze familieleden. De uitdrukking werd gebruikt door militairen en politiemensen, maar ook door hun buren, vrienden en kennissen. De ontvoerden hadden niets gedaan wat hun lot rechtvaardigde, maar lang was het veiliger om te zwijgen, om het regime het voordeel van de twijfel te gunnen en jezelf op die manier een hoop problemen te besparen.

Deze karaktertrek is volgens de Franse Argentiniëkenner Pierre Kalfon al sinds het ontstaan van Argentinië typerend voor de bevolking. De vrees voor gezichtsverlies, voor het optreden als eenling, het uit de pas lopen, zit er bij de conformistische Argentijnen diep in. Kalfon, schrijver en diplomaat, spreekt van het principe 'no te metas', bemoei je vooral nergens mee.

De auteurs van *No somos tan buena gente* zien toch een lichtpuntje: tijdens de regering van Raúl Alfonsín (1983-1989) werd de democratie enkele malen ernstig bedreigd door opstanden van legereenheden. Alfonsín, overigens een mislukt president, moest ooit aan de kazerne-poorten rammelen om de putschisten tot rede te brengen. Wat de democratie redde, aldus de schrijvers, was de massale mobilisatie van honderdduizenden burgers die de straat op gingen. Dat was voor Argentinië een absolute primeur. De onverschilligheid, vermengd met angst, was verdwenen. Een schrikbewind als dat van Videla en de zijnen, veel wreder dan wat zij gewend waren, wilde niemand terug. De mensen stroomden massaal naar de Plaza de Mayo, wat de buren er ook van vonden.

De schrijvers van *No somos tan buena gente* constateren dat het Proceso de medeplichtigheid van de burgers vereiste. 'Hoe reageerden de mensen op de onderdrukking, op de genocide? Door niet te reageren. Slechts een kleine minderheid liet haar stem horen. Zo werd een groot deel van de burgers medeplichtig gemaakt.'

Veel Argentijnen worden nog steeds gekweld door hun houding tijdens het militair regime. Wisten ze écht niet wat er om hen heen gebeurde of sloten ze zich af van de werkelijkheid? Hebben ze zich wel behoorlijk gedragen toen ze hoorden van de verdwijningen in hun buurt, misschien wel in hun eigen familie? Waren ze Videla's gewillige beulen? Wie was slachtoffer, wie was medeplichtige? Is er ook in Argentinië sprake van een collectieve schuld, zoals die waarvan Daniel Goldhagen de Duitsers beschuldigde?

De journaliste Victoria Ginzberg schreef een artikel in een publicatie van de gemeente Buenos Aires over de vroegere concentratiekampen in de stad, met een prominente plaats voor Garage Olimpo. Sommige omwonenden zeggen nooit te hebben geweten wat zich daar afspeelde, anderen wisten het drommels goed. 'Wie het niet wist, woonde niet in Argentinië,' zegt een buurtbewoner.

Garage Olimpo ligt in Floresta, een kalme, uitgestrekte buurt in het verre westen van Buenos Aires; vanaf de Plaza de Mayo is het een busrit van een uur. Op een doordeweekse middag heerst er de rust van een stadje in de pampa. De meeste winkels zijn dicht voor de siësta. Af en toe is er iemand te zien rondom een fors gebouw in het hart van de wijk, een vroegere garage van de gemeentepolitie.

Het van hoge muren voorziene complex van Garage Olimpo beslaat een heel blok. Hier werden in de jaren zeventig ontvoerde burgers opgesloten, gemarteld en soms gedood. Buenos Aires kende ongeveer twintig soortgelijke complexen in en om de stad, in heel Argentinië stonden er ruim driehonderd.

Een bejaarde vrouw die al jaren schuin tegenover Olimpo woont, zegt: 'Iedereen wist dat daar verschrikkelijke dingen gebeurden. 's Avonds en 's nachts scheurden er auto's in en uit, Fords Falcon meestal. In die jaren klonk er vaak luide muziek uit Olimpo. Na verloop van tijd wist iedereen wat dat betekende. Er werden weer mensen gemarteld en ze wilden niet dat de omwonenden het geschreeuw hoorden.'

Vlak bij Olimpo staat een geïmproviseerde remise voor stadsbussen. Oudere chauffeurs weten nog dat ze op het hoogtepunt van de terreur, eind jaren zeventig, hun bussen elders moesten parkeren. De onmiddellijke omgeving was tot een soort Sperrgebiet verklaard. 'De politie verbood ons min of meer zelfs maar naar Olimpo te kijken,' verklaart een chauffeur die, net als veel buurtbewoners, liever niet te veel wil worden herinnerd aan de smerige oorlog. Met enkele collega's zit hij aan de maaltijd van geroosterd vlees, op het trottoir bereid door een vrouw met een opvouwbare barbecue. Het ruikt heerlijk rondom Olimpo. De eigenaar van een nabijgelegen platen- en snoepwinkeltje wil nog wel kwijt dat hij destijds de Peronistische Mars uit de schappen moest halen.

De naam Olimpo bezorgt Argentijnen nog steeds koude rillingen, net als die van de bekendste andere kampen

Automotores Orletti, Vesuvio, Club Atlético en de ESMA.

Uit de verhalen van overlevenden blijkt dat de omschrijving 'concentratiekampen' niet overdreven is. De ontvoerden moesten de als cipiers dienstdoende politiemensen soms amuseren met toneelspel of voordrachten voordat ze op transport werden gesteld naar een militair vliegveld, om later in de Río de la Plata of de Atlantische Oceaan te worden gegooid. Met zo'n scène eindigt de film *Garage Olimpo*, het verhaal van een studente die door een versmade minnaar bij de politie is aangegeven als 'subversief element'.

In de film zijn elementen verwerkt uit wat men 'kampliteratuur' zou kunnen noemen, een stroming die een hausse beleefde vanaf ruwweg het midden van de jaren tachtig, toen het bestaan van die kampen algemeen bekend mocht worden verondersteld. Miguel Bonasso schreef een van de beste boeken in dit genre, *Recuerdo de la muerte*, met als hoofdpersoon Jaime Dri, een voormalig peronistisch parlementslid dat in een kamp belandt.

In Luis Moreno Ocampo's boek komt ook de absurde kant van het leven in deze kampen aan de orde. Zo kreeg een in Olimpo opgesloten advocaat van de kampleiding de opdracht te bemiddelen tussen ruziënde politiemensen: bij een inval bij een groep Montoneros hadden ze een flink bedrag aan dollars buitgemaakt, en zoveel mogelijk in eigen zak gepropt, maar de verdeling van de buit riep strijd op. De ruzies liepen zo hoog op dat agenten in het kamp met elkaar op de vuist gingen en sommigen hun wapen trokken. De baas van het kamp, een later veroordeelde officier, verzocht de advocaat om een onderzoek. 'Zo werd ik dus rechter over mijn eigen cipiers en beulen,' zegt de jurist in het boek.

De advocaat verhoorde heel wat agenten, allen onder de roepnaam die ze alleen in het kamp hadden, om later niet te kunnen worden geïdentificeerd. Hij had van tevoren wel te horen gekregen dat bij de inval niet meer dan 20000 dollar was buitgemaakt, de agenten wisten dat ook. De advocaat had het sterke vermoeden dat het meer was, maar hij verkeerde niet in een positie echt aan te dringen. Het onderzoek eindigde met de plechtige ondertekening van een uitspraak, voorzien van de handtekening van de advocaat. De kampbaas was tevreden en liet de advocaat in zijn cel een doos chocolaatjes bezorgen.

In de ESMA werden gevangengenomen Montoneros ingeschakeld om de militairen een deel van het losgeld voor de vrijlating van de gebroeders Born te bezorgen. Zij, telgen uit een rijk geslacht, waren midden jaren zeventig ontvoerd door Montoneros. Een deel van het losgeld was ondergebracht in Zwitserland. De beulen van de ESMA dwongen een Montonero naar Genève te gaan en terug te komen met minstens een miljoen dollar. Het plan slaagde. De militairen hadden de vrouw en kinderen van de 'geldloper' ook gevangengenomen met het dreigement hen te doden als de man de benen zou nemen.

Het stadsbestuur van Buenos Aires zou graag zien dat al die vroegere kampen tot monumenten werden verklaard, maar dat blijkt ingewikkeld te zijn. Olimpo wordt nog gewoon door de politie gebruikt, maar nu als inspectieruimte voor auto's, onder meer van registratienummers op de motorblokken. De ESMA, niet ver van het stadion van de voetbalclub River Plate, is nog steeds een opleidingsinstituut van de marine. Wel werd er in de aanloop naar de herdenking van de 25ste verjaardag van de coup, op 24 maart 2001, bij Garage Olimpo en andere voormalige kampen eer betoond aan de 'Slachtoffers van het staatsterrorisme', zoals de vermisten officieel worden aangeduid. De burgemeester van Buenos Aires, Aníbal Ibarra, onthulde gedenkstenen en plantte enkele bomen.

Ibarra is een jurist die lang heeft gestreden aan de zijde van de Grootmoeders van de Plaza de Mayo. Als middelbare scholier in de tweede helft van de jaren zeventig gold hij voor het regime als een 'subversief element', wat in die tijd zijn doodvonnis kon betekenen.

Ibarra wist dus wat er in die eerste jaren na de coup gebeurde en verzette zich ertegen. Wie dat deed, was zonder meer 'goed' in de smerige oorlog. Maar volgens de schrijver en strijder voor de mensenrechten Horacio Verbitsky hoeven Argentijnen die pas na verloop van tijd de ware aard van het regime ontdekten, zichzelf niets kwalijk te nemen: 'Een groot aantal burgers had het vermoeden dat hier en daar mensen verdwenen, maar ze hadden in die eerste jaren nog geen indruk van de massaliteit, van de systematiek. Pas in 1979, bij het bezoek van een delegatie van de Inter-Amerikaanse Commissie voor de Mensenrechten, kon iedereen vermoeden wat zich afspeelde. Pas in 1984, met het rapport van de Conadep, kon niemand meer zeggen dat hij van niets wist.'

De publicatie van het rapport van de Conadep was een indrukwekkende poging van het nieuwe democratische Argentinië om met zichzelf in het reine te komen. Dat gebeurde op een manier zoals nog niet eerder na een Zuid-Amerikaanse dictatuur was gedaan, maar Argentinië kreeg daarvoor te weinig krediet.

Na de ceremonie waarbij de dodelijk vermoeide, bijna blinde Ernesto Sabato het eerste exemplaar van het rapport, getiteld *Nunca Más* (Nooit meer), overhandigde aan president Raúl Alfonsín, kon geen enkele Argentijn meer beweren van niets te weten.

Toch hadden velen, begrijpelijk, moeite te bevatten dat zich zoiets had afgespeeld onder die keurige meneer Videla. Luis Moreno Ocampo beschrijft in zijn boek *Cuando el poder perdió el juicio* (Toen de macht het proces verloor) de lotgevallen van de middelbare scholier Pablo Díaz, een van de honderden getuigen die hij hoorde om zijn klachten tegen Videla cs voor te bereiden.

'Pablo was zeventien jaar toen hij werd ontvoerd, samen met andere jongens en meisjes van zijn leeftijd. Hij werd gemarteld en zou bijna drie jaar gevangen blijven in een inrichting als Garage Olimpo. Na zijn vrijlating wilde Pablo alleen over zijn gruwelijk lot praten met zijn vader en moeder, anderen zouden eens kunnen denken dat hij een "terrorist" was of een "subversief element".

Pablo zat, als vrij man, thuis bij zijn vriendin. Er stond een televisieprogramma aan waarin mensen hun verhaal deden tegen onderzoekers van de Conadep, alledaagse gevallen van ontvoering en marteling. De vader van zijn vriendin vroeg hem op een gegeven moment: "Hé, Pablito, denk jij dat die mensen nu echt de waarheid vertellen?" "Ik zei 'ja', maar verzweeg wat ikzelf had meegemaakt. Ook mijn vriendin wist dat niet. Mijn ouders hadden het verhaal verzonnen dat ik al die tijd bij familie in Europa had gewoond."

Pablo was op school in de stad La Plata lid van de groepering Juventud Guevarista, bewonderaars van Che Guevara. Met zijn kameraden hield hij een betoging voor verlaging van de bustarieven voor scholieren en studenten. Kort daarop werd hij thuis door een groep gewapende mannen meegesleurd en naar een concentratiekamp gereden. Hier werd hij bedreigd met "de machine", zeiden zijn ontvoerders.

Eerst dacht Pablo in zijn onschuld dat ze een leugendetector bedoelden, maar het was een apparaat waarmee hem elektrische schokken werden toegediend op de gevoeligste plekken van zijn lichaam. Drie maanden lang zat hij vastgebonden in een cel, de ogen geblinddoekt, precies zoals te zien in de film *Garage Olimpo*. Ook tal van medescholieren waren opgepakt. In de cel naast hem zat een klasgenote, Claudia Falcone, de dochter van een vroegere burgemeester van La Plata. Ze huilde constant. Toen Pablo even in haar cel mocht, riep ze hem toe:

"Raak me niet aan, ze hebben me overal verkracht."

Claudia wist dat ze zou sterven. Voor zover kan worden nagegaan, is ze hoogstwaarschijnlijk in zee gegooid. Pablo werd van het kamp overgeplaatst naar een gewone gevangenis, zonder dat er sprake was van een aanklacht. Elk jaar op 14 september houden scholieren in La Plata een fakkeloptocht voor Claudia Falcone, iets waarom ze Pablo had gevraagd.

Toen Pablo klaar was met zijn verhaal, was iedereen in de zaal in tranen. De rechter laste een pauze in en ik liep op Pablo af. Ook hij moest huilen toen hij me omhelsde en zei: "Ik heb dit negen jaar willen vertellen, maar durfde niet."'

Pablo en Claudia werden opgepakt tijdens de nacht van de potloden, zoals die gruweldaad zou gaan heten. De herdenking ervan brengt elk jaar meer scholieren op de been, overal in Argentinië, maar vooral in La Plata, een middelgrote stad ten westen van Buenos Aires. Het Argentijnse vocabulaire uit de dictatuur kent meer uitdrukkingen met het woord 'nachten': de nacht van de lange stokken, toen universiteitspersoneel werd mishandeld, en de nacht van de dassen, toen advocaten werden opgepakt.

Het is in Argentinië tegenwoordig zeldzaam dat de kranten geen nieuws bevatten over de nasleep van de dictatuur. De onuitputtelijke stroom oud nieuws over het Proceso staat in contrast met de relatieve schaarste in de afgelopen kwarteeuw. Toen kon de indruk ontstaan dat het land die tijd liever wilde vergeten.

Tot 1996, bij de herdenking van de twintigste verjaardag, was de belangstelling gering. Herdenkingen, steeds georganiseerd door verenigingen voor de mensenrechten, trokken meestal maar een paar honderd, hooguit een paar duizend mensen. In 1986, bij de tiende verjaardag van de coup, had alleen de tak van de Dwaze Moeders geleid door Hebe de Bonafini iets georganiseerd. Betogingen bij de ESMA telden slechts een handjevol deelnemers, gadegeslagen door de schildwachten aan de poort. Bij de viering van zijn eerste honderd dagen als president heeft Raúl Alfonsín de coup niet eens genoemd.

Tegen het eind van de jaren tachtig was er ook weinig animo voor herdenkingen, mogelijk als gevolg van de militaire opstanden tegen het bewind van die onfortuinlijke Alfonsín. De bedreigingen van de democratie door de carapintadas, militairen met zwarte camouflageverf op hun gezicht, hadden weer gezorgd voor een klimaat van angst. Betogingen voor de woningen van de grootste schurken, als Jorge Videla en Emilio Massera, trokken slechts weinig mensen.

Pas in 2001 pakte Argentinië, en dan vooral de hoofdstad Buenos Aires, de zaken groots aan. De stad eerde rond de herdenking van de coup *Le petit prince* en andere boeken die 25 jaar eerder door de militairen werden verboden. Tal van bibliotheken, boekwinkels en buurtcentra stonden stil bij de enorme culturele repressie van toen. Ongeveer honderd schrijvers en journalisten behoren tot de vermisten.

*Le petit prince* is in Zuid-Amerika waarschijnlijk meer een begrip dan in Europa, Frankrijk uitgezonderd. *El Principíto*, zoals het boek van Antoine de Saint-Exupéry in het Spaans heet, bracht volgens de junta jonge mensen maar op subversieve gedachten. Hetzelfde gold voor het werk van Argentijnse schrijvers als Julio Cortázar en Manuel Puig.

Op 24 maart ging op alle openbare gebouwen en scholen in Buenos Aires de vlag halfstok. 'Nooit meer staatsterrorisme' was het officiële motto en die dag werd uitgeroepen tot Dag van de Herinnering. Scholen kregen speciaal lesmateriaal. Voor de vermisten werd een monument opgericht aan de oever van de Río de la Plata, het

Parque de la Memoria, waar ook geschreven en gesproken getuigenverklaringen zorgvuldig bewaard worden.

Bijna alle organisaties voor de mensenrechten werkten mee aan de manifestaties, met als inmiddels traditionele uitzondering de afdeling van de Moeders van de Plaza de Mayo die wordt geleid door Hebe de Bonafini. Zij beschouwt medewerking als een soort collaboratie met de machthebbers van wie veel slechts te verwachten valt, ook al bestaat het stadsbestuur van Buenos Aires uit veertigers van wie menigeen de repressie aan den lijve heeft ondervonden. Burgemeester Ibarra heeft als jurist geageerd tegen de amnestiewetten waarmee de democratisch gekozen presidenten Alfonsín en Menem militairen beloonden.

De splitsing in de Moeders was een gevolg van het drammerige optreden van Hebe de Bonafini. Het is een jammerlijk bijverschijnsel van de jaren waarin Argentinië het verleden pas goed begon te verwerken. De Bonafini leidt inmiddels de kleinste groepering, maar in het buitenland blijft zij voor velen 'de' aanvoerster van 'de' Moeders van de Plaza de Mayo.

Bij een herdenking in 2001 zien de moedige vrouwen van het eerste uur er oud en breekbaar uit. Hebe de Bonafini is er die middag niet bij. Ze juicht Comandante Marcos toe bij zijn intocht in Mexico-Stad. Dus wordt die middag de ronde om het plein niet afgesloten met haar traditionele scheldpartij aan het adres van de machthebbers in de Casa Rosada, die moordenaars of hoerenzonen, zoals alleen zij het kan brullen. Haar hele imposante gestalte gooit ze altijd in die woorden. '¡Asesinos! ¡Hijos de puta!' Wie niet beter weet, zou denken dat in het presidentiële paleis nog een dictator als Jorge Videla zetelt, niet een door de meerderheid van de kiezers gekozen burgerpresident.

Hebe de Bonafini, geboren op 4 december 1928 in La Plata, noemt zich nog steeds huisvrouw. 'Ik stel er prijs op mijn familieleden en anderen een goede maaltijd voor te zetten, geen snelle hap,' zei ze tegen Gabriel Bauducco, die het boek *Hebe, la otra mujer* (Hebe, de andere vrouw) over haar schreef.

Hebe Pastor, haar meisjesnaam, leek als kind in geen enkel opzicht op de pasionaria die ze later zou worden. Op de lagere school gold ze eerder als een typisch Argentijnse patriot, altijd vooraan bij het zingen van het volkslied of bij hommages aan de vaders des vaderlands. Haar droom was toen onderwijzeres worden, maar ze werd door haar moeder ingeschreven op een opleiding tot naaister.

Hebe was veertien toen ze haar eerste en enige liefde ontmoette. Humberto de Bonafini was net als zij kind van Italiaanse immigranten. Na hun huwelijk kwamen er drie kinderen: Jorge, Raúl en Alejandra. Jorge en Raúl konden goed leren en gingen naar de universiteit van La Plata. Hebe noemt zich in het boek nog 'apolitiek' toen haar zoons in de onrustige jaren zeventig aan de universiteit actief werden aan zeer linkse zijde. Jorge hielp een 'rode priester' bij het onderwijs in een armenwijk. Hebe beperkte zich thuis toen nog tot het bereiden van de mate, de oer-Argentijnse, bij elk samenzijn onmisbare kruidendrank.

In 1975 bereikte het politieke geweld ook het gezin van Hebe. Een neef werd onthoofd aangetroffen. Hebe gaf de schuld aan de Triple A, die nauw gelieerd was aan de rechtervleugel van de peronisten. 'In dat jaar begon ik voor het eerst bang te worden, er kwamen ook steeds meer berichten over verdwijningen.' Na lang toehoorster te zijn geweest bij de gesprekken van haar zoons, werd ook Hebe besmet door het virus van de politiek. De interesse was sterker dan de angst.

'Hebe, hoorden je zoons bij een of andere organisatie?'
vraagt schrijver Gabriel Bauducco.

'Natuurlijk!' is het antwoord.

'Bij welke?'

'Dat zal ik nooit, nooit zeggen.' Daarover wil ze alleen
nog kwijt dat ze haar zoons hielp 'militanten' te verbergen. Dat het leden van de Montoneros of van andere revolutionaire groepen waren, ligt voor de hand.

Op 8 februari 1977 'verdween' Jorge. Vijf gewapende
mannen in burger sleurden hem mee. Hebe ondervond bij
haar radeloze zoektocht hoezeer het land in de greep was
van de angst. Een notaris weigerde te helpen bij het op-
stellen van een brief aan een rechter met het verzoek om
opheldering. De politie stuurde haar en Humberto van
het ene bureau naar het andere, tot in Buenos Aires toe.
Negen maanden na Jorges verdwijning was het de beurt
aan Raúl. Hij bewoog zich al maanden in de 'clandestini-
teit', zoals Hebe zegt. Even later overkwam het haar
schoondochter María Elena, de vrouw van Jorge, psycho-
loge en actief in het volwassenenonderwijs.

Hebe beweert stellig dat een neef, werkzaam bij de politie, haar zoons heeft aangegeven als 'subversieven', daarmee hun lot bezegelend. Ze geeft in het boek zijn naam,
adres en rang.

Langzaam, heel langzaam begonnen de familieleden
van de vermisten zich te verenigen. Eerst lieten ze zich
op de Plaza de Mayo nog opzij duwen of slaan door de politie, later eisten ze voor hun stille omgang het centrale
gedeelte op. Iemand kwam op het idee van de hoofddoek-
jes en binnen de kortste keren waren de Moeders een begrip in de hele wereld.

De oprichtster was Azucena Villaflor, die later ook
zou verdwijnen. Hebe weet wie dit op zijn geweten heeft:
kapitein Alfredo Astiz, de infiltrant in de Moeders na-
mens de marine. Ook Hebe had aangenomen dat hij zich

bij hun strijd wilde aansluiten. Hebe nam de leiding over van Azucena, lelie in het Spaans. Haar krachtige, autoritaire persoonlijkheid zorgde voor een splitsing. De Linea Fundadora scheidde zich in 1986 af, ook uit onvrede over de rol van 'revolutionair' die Hebe zich aanmat.

In het boek geeft Hebe haar eigen verklaring voor de splitsing. 'Sommige Moeders zeggen dat hun kinderen nooit iets hebben gedaan, dat ze gewoon werkten als advocaat, leraar in een krottenwijk of weet ik wat. Maar die uitleg schiet tekort. Ze werden ontvoerd omdat ze revolutionairen waren, omdat hun daden het regime uitdaagden. Veel Moeders vonden dat idee onverdraaglijk, omdat het volgens hen een soort schuldbekentenis inhoudt. Dat is natuurlijk flauwekul. Hun kinderen streden tegen onrecht en armoede.'

Hebe de Bonafini hoorde begin jaren tachtig dat haar zoons in een geheim concentratiekamp buiten Buenos Aires waren vermoord. Ze eert hen als strijders tegen onrecht. Tijdens haar gesprekken met Comandante Marcos zei ze hem te beschouwen als haar zoon. Ze bond hem ook op het hart de wapens nog niet te laten rusten, omdat machthebbers niet te vertrouwen zijn. Deze opmerking over de wapens kwam haar op een zoveelste stortvloed van kritiek te staan.

Haar liefde voor Castro's Cuba en de FARC in Colombia is bekend, net als haar uitspraken over Baskenland: 'De Spaanse staat is in oorlog met de Basken en maakt zich schuldig aan terreur tegen de ETA.' Ze veinst niet te geloven dat een antiregeringsbetoging in Havana binnen een minuut wordt opgerold en de deelnemers in de bak verdwijnen.

Behalve de diverse manifestaties zorgen ook de recente krantenberichten voor het vasthouden van de aandacht. Zo betogen kinderen van vermisten en hun vrienden in

Buenos Aires voor het huis van een hoge legerofficier, die ze betichten van wandaden in de tijd van de dictatuur. De man is de zwager van de echtgenote van president Fernando de la Rúa. Deze Basilio Pertiné zou vliegtuigen hebben bestuurd waarmee verdoofde gevangenen werden vervoerd tot boven de Río de la Plata of de Atlantische Oceaan. Dan gingen de luiken open.

'Moordenaar, hoerenzoon!!!' brullen de ongeveer vijftig jongeren voor het flatgebouw in een van de betere buurten van Buenos Aires. De vlugschriften worden door de harde wind Pertinés balkon op geblazen. De 24-uur-nieuwszender Crónica, eigendom van de gelijknamige krant, zendt het allemaal rechtstreeks uit. Buurtbewoners weten te vertellen dat het voorwerp van het volksgericht voor een paar dagen de stad uit is. De politie heeft de ingang van de flat geblokkeerd.

'Escraches' heet dat nagelen aan de schandpaal, een protestvorm uitgevonden door de beweging HIJOS, letterlijk zonen, kinderen, in dit geval van vermisten. Maar deze jongeren krijgen ook veel steun van betogers die bij elke betoging van extreem-links zijn te vinden. Alle voormalige juntaleiders en hun handlangers hebben inmiddels ongewenst bezoek gehad van die jongens en meisjes, steeds keurig begeleid door de politie.

Er duiken dezer dagen meer krantenberichten uit die afschuwelijke tijd op. Een voormalige politiechef, bijgenaamd El Turco Julián, is aangehouden op verdenking van babyroof. Een kolonel in Mendoza bezweert dat het leger nooit wie dan ook heeft laten verdwijnen. Een rechter verklaart de amnestiewetten uit de jaren tachtig ongrondwettig. De nieuwe bevelhebber van het leger wordt beticht van medeplichtigheid aan de terreur in de provincie Chaco.

En dan gaat ook Nederland een woordje meespreken. De rol van Jorge Zorreguieta tijdens het Proceso vormt hier en daar aanleiding tot de roep om een serieus onderzoek naar de gedragingen van hooggeplaatste burgers in het bewind van Videla en zijn opvolgers.

Schrijver-journalist Vicente Muleiro waagt zich aan een verklaring over die plotselinge belangstelling voor de coup, na al die jaren van stilte: 'De dictatuur wilde niet alleen haar slachtoffers laten verdwijnen, maar ook alle sporen, zoals de concentratiekampen, uitwissen. Dat leek aanvankelijk te lukken, ook al omdat de bevolking lang de indruk wekte er niet al te veel meer aan te willen denken. De omvang van die gruwelen was echter te groot. Naarmate de tijd verstrijkt, komen we steeds meer te weten. Steeds meer bewijzen komen aan het licht, de jonge generatie eist opheldering. We weten nu veel meer dan vijf jaar geleden, bij de eerste serieuze herdenking, en over vijf jaar weten we veel meer dan nu.'

Dat is enerzijds natuurlijk te hopen, anderzijds dragen al die nieuwe ontdekkingen hoe dan ook bij tot een verdere verdoemenis van Argentinië. De slechte reputatie – deels verdiend – zal het land nog lang aankleven. Een jonge vrouw uit een betere buurt van Buenos Aires, die verliefd werd op een Nederlandse prins, kreeg er meteen mee te maken. Een columniste in *Clarín* noemde Máxima Zorreguieta om die reden ook een slachtoffer van de junta.

1. Het onderkomen van een rijke Argentijnse familie

2. Welgestelde porteños nemen vaak jongens in dienst
om hun honden uit te laten

3. Van Carlos Gardel, overleden in 1935,
is nog elke dag muziek te horen

4. Evita en Juan Perón in hun hoogtijdagen

5. President José Félix Uriburu, omringd door dames
die hem bedanken voor zijn staatsgreep

6. Montoneros kondigen aan dat zij ondergronds
de strijd voortzetten

7. Eed van Jorge Zorreguieta als lid van het regime onder toeziend oog van onder anderen Jorge Videla en José Martínez de Hoz

8. De coup is begonnen: Isabel Perón wordt met een helikopter van het leger uit de Casa Rosada gehaald

9. De Dwaze Moeders, aangevoerd door Hebe de Bonafini,
bij de vijfentwintigste verjaardag van Videla's coup

10. 2 april 1982: het volk stroomt enthousiast samen op de Plaza de Mayo als Argentijnse troepen de Falklandeilanden hebben bezet

11. Carlos Menem aan het begin van zijn presidentschap

12. Jorge Zorreguieta, Maria del Carmen Cerruti en dochter Máxima vlak voor het vertrek van een reis

13. Máxima met haar vader Jorge bij de Sociedad Rural

14. Buiten Paleis Noordeinde, 30 maart 2001

# 7

# Een verzoening die niet zo mag heten

President Raúl Alfonsín zal altijd verbonden blijven met twee uitersten in de Argentijnse geschiedenis. Hij belichaamde eind oktober 1983 de terugkeer van de democratie, maar nog geen zes jaar later droeg hij als een zichtbaar uitgeputte mislukkeling de macht vervroegd over aan de peronist Carlos Saúl Menem.

'Argentinië lag op de knieën' was in 1989 het beeld dat leefde: de hyperinflatie was teruggekeerd. Arme burgers begonnen op grote schaal supermarkten te plunderen in Buenos Aires en provinciesteden. Langdurige en nooit geheel verklaarde elektriciteitsstoringen zetten de hoofdstad 's avonds en 's nachts in het donker. Het leek Havana wel, een absolute vernedering voor de Argentijnen.

Arme don Raúl, die president was in de tijd dat Argentinië zijn eigen versie van het Neurenberg-proces begon, maar met het enorme verschil dat in zijn land het 'nazileger' nog een factor van belang was.

In de tweede helft van de jaren tachtig was Alfonsín te gast in de boekwinkel El Ateneo in het hart van Buenos Aires voor de doop van een voor hem lovend werkje, geschreven door een bevriende journalist. Het nieuws over zijn aanwezigheid verspreidde zich snel door de calle Florida. Lijfwachten hadden de grootste moeite om de zwetende heer, een provinciale caudillo uit het pampastadje Chascomús, door de menigte te loodsen. De dankbaarheid voor zijn verdiensten voor de democratie, voor het

opvijzelen van Argentiniës imago, waren toen allang ver-
dampt. Hij kreeg de wind van voren: wanneer komt er nu
eens een eind aan de inflatie, onder uw leiding is in Argentinië voor het eerst sprake van plunderingen, een schande!

Anderen uitten hun ongenoegen over niet-materiële
zaken. Zij sommeerden don Raúl, die vanaf het begin van
de jaren zeventig actief was geweest in bewegingen voor
de mensenrechten, om die militairen nu eindelijk eens
aan te pakken. 'Laat maar een stelletje van die carapintadas fusilleren, dan is het snel afgelopen,' luidde een advies.

Die 'geverfde gezichten' waren de muitende militairen die flink hebben bijgedragen tot de teloorgang van de
man in wie velen hun vertrouwen hadden gesteld. Wat
hebben die rebellen het hem moeilijk gemaakt na de berechting en veroordeling van de juntaleiders. De mannen
die hun gezichten met camouflageverf insmeerden en
vervolgens kazernes bezetten, vooral in en om Buenos
Aires, eisten ontslag van rechtsvervolging voor hun be-
dreven wandaden tijdens het Proceso.

Alfonsín was het in principe met hen eens: door alleen
de hoogste leiders te straffen hoopte hij de maatschappij
tot verzoening aan te zetten. Hij voorzag veel slechts van
berechtingen van alle militairen die door burgers werden
aangeklaagd. Dat zou het helen van de wonden maar uit-
stellen.

Rechtbanken overal in het land dachten er anders over
en de ene na de andere officier kreeg een dagvaarding. Dat
was die trotse kaste niet gewend. De leden hadden gedacht om, zoals gebruikelijk na eerdere coups, ongestoord verder te kunnen leven zodra het bewind aan de
burgers was 'teruggegeven'. De eerste rebellie brak uit in
een kazerne in Córdoba, waar een hoge officier zich op
zijn basis verschanste, omringd door getrouwen inge-
smeerd met oorlogsverf. De man werd beticht van het

leiden van een concentratiekamp. Meer aandacht trokken de muiterijen rond Buenos Aires, waar Falklandveteranen als Aldo Rico en Mohammed Alí Seineldín hun tanks in gereedheid brachten. Steeds weer weigerden andere legereenheden de opstanden neer te slaan. Ook bevelhebbers van de strijdkrachten hielden zich afzijdig. Alfonsín en zijn regering, politiek verzwakt door de economische chaos, stonden machteloos.

De media berichtten hysterisch over al die opstanden en opnieuw werd duidelijk dat de Argentijnen zoveel meer moeten meemaken dan de Europeanen met wie ze zich zo verwant voelen. In Argentinië geldt de opwinding in de kranten geen conflicten over de WAO of het huurwaardeforfait, maar situaties van leven en dood, van dictatuur en democratie, van beschaving of barbarij. In die jaren speelde in het Alfil-theater aan de avenida Corrientes in Buenos Aires een stuk over een Argentijnse Familie Doorsnee die smachtte naar een heerlijk burgerlijk bestaan na alles wat ze sinds de jaren dertig had meegemaakt.

Hier en daar suggereerden commentatoren voorzichtig om, in strijd met alle journalistieke beginselen, de muiters in hun sop gaar te laten koken. Deze lieden waren te weinig talrijk voor een coup, maar zorgden wel voor aanhoudende angst onder de burgers. Dieptepunt was de paasweek van 1987, toen Alfonsín per helikoper van de Casa Rosada naar het legerkamp Campo de Mayo, ten noordwesten van de hoofdstad, werd gevlogen. Op dat moment had zich een dichte menigte verzameld op de Plaza de Mayo. Voor het eerst in de Argentijnse geschiedenis kwam een mensenmassa een president een hart onder de riem steken die de strijd aanging met militaire muiters. Het Proceso, allerminst een regime zoals al die voorgaande, had in elk geval die burgerzin bewerkstelligd. Men was als de dood voor een herhaling.

Toch was de menigte op het plein aanvankelijk erg ongerust. Dat kwam vooral door de aanblik van Alfonsín in de helikopter. Isabel Perón was op 24 maart 1976 ook in een helikopter weggevoerd uit de Casa Rosada, met bestemming het dichtbijzijnde vliegveld Aeroparque, vanwaar ze naar Patagonië werd gestuurd voordat ze naar Spanje moest vertrekken. Begrijpelijk dat de massa vreesde dat Raúl Alfonsín eenzelfde lot wachtte, of dat zijn helikopter zou worden neergehaald.

Maar don Raúl keerde een goed uur later alweer terug om de menigte toe te spreken. Hij had goed nieuws: 'Landgenoten, gelukkig Pasen. De muiters, onder wie helden van de Malvinas, hebben zich overgegeven. Ze zullen worden gearresteerd. Goddank is bloedvergieten voorkomen.'

Meteen deden in de pers geruchten de ronde over een deal die Alfonsín met de muiters, en de hiërarchie van de strijdkrachten, had gesloten. Vermoedens die min of meer juist bleken toen Alfonsín een nieuwe amnestiemaatregel voorstelde. In 1986 had hij de wet Punto Final (Punt erachter) voorgesteld. Rechters moesten binnen zestig dagen een besluit nemen over vervolging van aangeklaagden, anders werd de klacht automatisch niet-ontvankelijk verklaard. Na de paasopstand en andere muiterijen in 1987 introduceerde hij de wet Obediencia Debida (Verschuldigde gehoorzaamheid). Deze wet komt neer op erkenning van het principe Befehl ist Befehl. Beide wetten werden door het parlement goedgekeurd. 'De eerste wet was eigenlijk wel in orde, de tweede een ramp,' meent Luis Moreno Ocampo.

Bewegingen voor de mensenrechten waren woedend over de amnestie, vooral over Obediencia Debida, maar het is de vraag of de gemiddelde Argentijn zich daar druk om maakte. Velen hadden andere zorgen. Ze moesten temidden van de razendsnelle economische achteruitgang en de hollende inflatie het hoofd boven water zien te houden. De peronistische vakbond CGT organiseerde de ene algemene staking na de andere.

De door Alfonsín in 1985 ingestelde nieuwe munt, de austral, verving de peso. De austral had nauwelijks een paar weken de aanvangkoers tegen de dollar vastgehouden alvorens in een vrije val te belanden. Tegen het eind van Alfonsíns periode was de inflatie per maand meer dan honderd procent en kregen gesalarieerden tweemaal per maand hun loon. Aan het begin en het midden van de maand werden supermarkten bestormd door hamsteraars.

Om de chaos compleet te maken lieten linkse guerrilleros weer van zich horen. In januari 1989 vielen leden van de beweging Todos por la Patria een kazerne in La Tablada aan, een voorstad van Buenos Aires. De bende werd geleid door Enrique Gorriarán Merlo, de enige overlevende van de oude leiding van het Revolutionaire Volksleger (ERP). Er vielen dertig doden en 44 gewonden, bijna uitsluitend aan de kant van de aanvallers. Hun spirituele leidsman bleek een katholieke geestelijke, padre Antonio, die ook elke donderdagmiddag aanwezig was bij de mars van de Dwaze Moeders van Hebe de Bonafini. Deze lieden gaven de militairen een uitgelezen kans om te beweren dat de linkse subversieven nog steeds een gevaar vormden.

Zo eindigde het tijdperk-Alfonsín met een algehele mobilisatie tegen de man die Argentiniës eer had gered door de berechting van de juntaleiders te bewerkstelligen. Iedereen had de pest aan hem: huisvrouwen, vakbonden, bankiers, militairen, organisaties voor de mensenrechten. De peronisten wisten dat zij de presidentsverkiezingen van mei 1989 zouden winnen. Uit de peilingen van de Partido Justicialista (PJ), de officiële naam van de peronistische beweging, was tot ieders verrassing ene

Carlos Menem als overwinnaar uit de bus gekomen. De basis strafte de traditionele partijbonzen, van wie sommige tijdens het Proceso gemene zaak hadden gemaakt met de militairen of zich als gangsters hadden gedragen bij eerdere verkiezingscampagnes.

Carlos Menem versloeg op 14 mei 1989 de kandidaat van Alfonsíns Unión Cívica Radical, Eduardo Angeloz. Angeloz, de gouverneur van de provincie Córdoba, had nog tijdens de campagne de minister van Financiën ontslagen, die verantwoordelijk werd gehouden voor de introductie van de snel waardeloos geworden austral. Alleen buitenlandse bezoekers waren dol op die munt, want dankzij de enorm gunstige dollarkoers werd Argentinië een van de goedkoopste landen ter wereld. Toeristen uit andere Zuid-Amerikaanse landen stonden bekend als 'dámedos' (geef me er maar twee). Zo goedkoop was bijvoorbeeld kleding. Argentijnen vonden dat vernederend, want niet overeenkomstig de traditie dat juist zij het waren die de buurlanden afstroopten op koopjes.

Alfonsín had nog tot de officiële machtsoverdracht, in december 1989, in de Casa Rosada kunnen blijven. Hij gaf er de voorkeur aan om al op 8 juli de macht over te dragen. Daarna heeft hij lange tijd niets van zich laten horen.

In de betere buurten van Buenos Aires, niet bepaald peronistisch gebied, waren de muren tijdens de verkiezingscampagne van 1989 beplakt met foto's van Carlos Menem. Het waren geen flatterende portretten, vonden de aanplakkers. Menem, tot dan toe nauwelijks nationaal bekend, was getooid met lange bakkebaarden en strak achterovergekamd lang haar. Opvallend was ook de poncho waarin hij zich hulde, de dracht van de gaucho's.

Conservatieve Argentijnen waren felle tegenstanders van Menem, maar bij de verkiezingen van 1989 waren zij ver in de minderheid. Zes jaar later kon Menem ook bij de chic van Buenos Aires geen kwaad meer doen en werd hij met een nog grotere meerderheid herkozen. Hij zag er inmiddels niet alleen minder wild uit, maar had bovendien de hyperinflatie verslagen en de economie goeddeels geprivatiseerd. Wat hadden de antiperonisten hem bespot, vooral omdat Menem als zoon van Syrische immigranten het lef had gehad zich kandidaat te stellen als president in een land waarvan veel blanke bewoners zich de eigenaars wanen. Menem, el turco, een bijnaam voor iedereen van Arabische afkomst, paste niet in die categorie, maar dat werd hem al vlug vergeven.

Menem is er trots op een echte 'provinciaal' te zijn, net alsof hij zich wil afzetten tegen het wufte Buenos Aires. Zijn wortels liggen vijftienhonderd kilometer naar het westen, in de provincie La Rioja, goeddeels bestaand uit woestijn. Zijn vader en moeder, afkomstig uit een dorp ten noorden van Damascus, waren net als veel andere Arabieren aan het begin van de twintigste eeuw naar Argentinië geëmigreerd. Carlos Saúl Menem studeerde rechten in Córdoba, maar was meer geïnteresseerd in politiek en in de Argentijnse geschiedenis. Zijn held werd een gaucho-leider uit de negentiende eeuw, Facundo Quiroga, die hij in kleding en haardracht imiteerde. Juan en Eva Perón waren Menems moderne helden, wier steun in belangrijke mate afhankelijk was van de massa's uit de provincie, op wie de elite neerkeek. Het kwam Menem, na de coup tegen Juan Perón in 1955, op een korte arrestatie te staan wegens activiteiten tegen de 'Bevrijdende Revolutie', zoals de militairen hun staatsgreep hadden gedoopt. Menem was Juan Perón nog steeds trouw toen deze in 1973 terugkeerde uit zijn Madrileense ballingschap en Argentinië binnen de kortste keren in een chaos belandde die rechtstreeks leidde tot de coup van 1976. Menem was nog duidelijk links en had banden met de Montoneros, onder wie de latere leider Mario Firmenich.

In die tijd was La Rioja Menems bastion. In 1973 werd hij er voor het eerst gekozen tot gouverneur, een wapenfeit dat hij driemaal herhaalde. Spanningen tussen het lokale en het centrale gezag kwamen wel vaker voor.

De putschisten van generaal Jorge Videla vonden alle peronisten gevaarlijke subversievelingen. Menem werd op de dag van de coup, 24 maart 1976, opgepakt en bijna vijf jaar lang opgesloten, onder meer in een gevangenis voor vips op een schip in de Paraná, niet ver van Paraguay.

Zijn vrouw Zulema, van wie hij later scheidde, mocht hem maar zelden bezoeken. In het gevang zwoer Menem de islam af en bekeerde hij zich tot het katholicisme. Na zijn vrijlating, en na de val van de dictatuur in 1983, werd La Rioja Menem te klein, te ver en te stoffig. De peronistische hiërarchie concentreert zich tenslotte in de stad en de provincie Buenos Aires.

Menems overwinning op Raúl Alfonsín joeg veel Argentijnen schrik aan, vooral wanneer zij zich de peronistische excessen herinnerden uit de jaren vijftig en zeventig. Als kandidaat had Menem zich gedragen als een gemankeerde messias met de leuze 'Volg mij!', als een carnavalspaus staand in zijn Menemmobiel. Hij deed er in die eerste jaren veel aan om die vooroordelen te bevestigen. 'Vulgar, vulgar, vulgar,' bromde een columnist in *The Buenos Aires Herald* over Menems neiging te showen met supermodellen als Claudia Schiffer en zijn Ferrari Testarossa. Ook de publieke huwelijkscrises met Zulema waren velen een doorn in het oog.

Die aanvankelijk door rechts verafschuwde uitspattingen werden gaandeweg beschouwd als amusante excentriciteiten toen Menem met volle snelheid de liberale richting in sloeg. De privatisering van staatsmaatschappijen zorgde er voor dat onder andere forensentreinen op tijd reden. Bovendien werd de inflatie gestopt door de peso aan de dollar te koppelen.

Menem had het Zuid-Amerikaanse economisch herstel mee en kon in 1995 dan ook rekenen op een gemakkelijke herverkiezing. Tegen die tijd was hij in alle opzichten een stuk soberder geworden, misschien door de scheiding van Zulema en de dood van zijn zoon Carlitos bij een helikopterongeluk.

Menemisme staat voor veel Argentijnen gelijk aan ultra-liberalisme, corruptie en werkloosheid. Anderen herinneren zich vooral de jaren van economische groei en voorspoed. Links klaagt over de 'verkoop van de kroonjuwelen', dat wil zeggen de privatisering van onder meer de staatsoliemaatschappij YPF, de luchtvaartmaatschappij Aerolineas Argentinas en delen van de spoorwegen. Nooit wordt verteld dat het vóór de privatiseringsgolf vaak wekenlang uiterst moeilijk was om in Buenos Aires zelfs maar lokaal te bellen, dat telefoonaansluitingen maanden op zich lieten wachten en alleen konden worden bespoedigd door ambtenaren geld toe te schuiven, dat Aerolineas en YPF voornamelijk dienden om vrienden van de machthebbers topsalarissen te laten verdienen en de spoorwegen slechts bij uitzondering de gevaarlijk gammele treinen in beweging zetten.

Toch heeft Carlos Menem de elite verzoend met de peronisten, zolang ze door hem worden aangevoerd. Ook speculanten en vrije jongens van allerlei slag denken met weemoed aan hem terug. Hoe heeft hij kans gezien de leiders van de vakbonden, de divisies waaraan de peronisten hun macht ontlenen, over te halen akkoord te gaan met de golf van privatiseringen? Velen geloven dat hij ze heeft omgekocht. Een deel van de vakcentrale heeft overigens niet meegewerkt, zodat nu twee CGT's strijden om de gunst van de werknemers.

Raúl Alfonsíns loopbaan was mede door de militairen verpest, Carlos Menem had in zijn campagne van 1989 beloofd te proberen de bevolking vooral naar de toekomst te laten kijken. Het woord 'verzoening' gebruikte hij niet, maar het was duidelijk dat hij daarop doelde. Het woord had een kwalijke klank, want het werd begin jaren tachtig door militairen als Jorge Videla gebruikt bij hun pogingen zichzelf amnestie te verlenen.

Begin 1990 kregen Videla en de andere ex-juntaleiders en -leden amnestie. Voordien was Menem al even clement voor zo'n driehonderd andere militairen, burgers en ex-guerrilleros.

Zo'n 40000 mensen namen deel aan de betogingen tegen Menems amnestiemaatregelen. Voor Argentijnse begrippen is dat niet veel. Menem had zich in ieder geval menselijker opgesteld dan Videla, die hem, toen hij gevangenzat, geen toestemming had gegeven de begrafenis van zijn moeder te bezoeken. Videla, die uiteindelijk zes jaar lang opgesloten heeft gezeten, mocht van president Menem wel een dag uit de redelijk comfortable gevangenis om aanwezig te zijn bij de begrafenis van zijn moeder, doña Olga. Niet dat Videla, die trotse modelgevangene, hem daarom had gevraagd, vermelden de schrijvers van *El Dictador*.

Menem kon na de vrijlating van de ex-comandantes niet meer stuk bij de aanhangers van de junta. 'Een brutale, maar wel sympathieke Turk,' had Videla ooit over hem gezegd. Videla straalde toen Menem hem op een receptie ontmoette en door hem werd aangesproken met 'generaal', terwijl Videla bij zijn veroordeling zijn rang was kwijtgeraakt.

Eerder had Menem getoond dat hij meer invloed had op de legertop dan Alfonsín. Toen militaire muiters zich ook tegen hem keerden, omdat sommige rechters zich niets aantrokken van Alfonsíns amnestiewetten, liet hij het leger de kazernes aanvallen. Er vielen doden, uitsluitend aan de kanten van de rebellen, en sindsdien hoorde men niets meer uit die hoek.

Wat er verder ook op Menem is aan te merken, zijn aanpak van de verzoening die niet zo mag heten, lijkt geslaagd te zijn. Hij verleende in 1990 behalve aan de juntaleiders ook amnestie aan Mario Firmenich, de leider van de Montoneros die door Brazilië aan Buenos Aires was uitgeleverd. Zowel de militairen als de guerrillagroepen hadden schuld aan de zwartste periode uit de Argentijnse geschiedenis, en beide partijen zijn dan ook gestraft en later geamnestieerd.

Maar ook aan die amnestie zijn grenzen: onder Menem liet justitie alle oud-juntaleiders weer oppakken, ditmaal op beschuldiging van betrokkenheid bij de roof van baby's uit concentratiekampen waar hun ontvoerde moeders waren bevallen. De baby's werden ondergebracht bij militaire echtparen of bij politiemensen die hen zouden opvoeden tot goede, katholieke Argentijnen in plaats van tot terroristen. Deze zeer Argentijnse vorm van oorlogsbuit behoort tot de gruwelijkste erfenissen van het Proceso.

Menem mocht zich in 1999 volgens de grondwet niet voor een derde maal kandidaat stellen. Hij slaagt er tot op de dag van vandaag echter in in de publiciteit te blijven dankzij zijn romance met de Chileense Cecilia Bolocco, journaliste en voormalig Miss Universe, 35 jaar jonger en twintig centimeter langer dan hij. In mei 2001 trouwde hij met haar.

In 2003 hoopt de in 1940 geboren Menem de peronisten weer aan te voeren in een poging opnieuw president te worden. Het kan hem nog lukken ook, want zelfs antiperonisten geven toe dat ze het onder Menem beter hadden.

Uit het boek *El Dictador* blijkt dat het echtpaar Videla na zijn ontslag uit het gevang steeds minder chic is gaan wonen. Van het duurste deel van de barrio Norte verhuisden ze naar een minder deel, niet ver van de Zorreguieta's, om ten slotte te belanden in een flat aan de rommelige en rumoerige avenida Cabildo in de wijk Belgrano. Toen hij zich nog op straat mocht vertonen, werd hij soms zelfs nog door vrouwen uit de barrio Norte toegejuicht.

Jorge Videla krijgt nog weleens bezoek van vroegere collega's in de regering, voor zover ze niet gevangenzitten of onder huisarrest staan, zoals hijzelf. Oud-minister José Alfredo Martínez de Hoz en zijn vrouw komen soms langs.

Ook oud-staatssecretaris Juan Alemann onderhoudt nog contacten met zijn vroegere baas. In elk geval per telefoon, maar hij wil niet zeggen of ook hij zich vervoegt aan de avenida Cabildo.

Dat Juan Alemann zelf, ondanks zijn vroegere goede diensten aan Videla, met rust wordt gelaten, zelfs wordt geëerd, bewijst misschien dat de maatschappij redelijk ver gevorderd is met een mate van verzoening. Wellicht is het beter te spreken van de wens tot vergeten, behalve wanneer bepaalde individuen zich ernstig hebben misdragen. Dan kan geen enkele vroegere amnestie hen redden. Alemann wordt door zo'n beetje elke Argentijnse krant of omroep om zijn mening op economisch gebied gevraagd. Niemand zeurt over zijn verleden.

Alleen jonge activisten van HIJOS kwamen in het geweer tegen het verzwegen verleden. Zij hielden een protestbetoging voor een vestiging van Cavallo's politieke partijtje, Acción por la República. Eerder was het gebouw beschadigd bij een bomaanslag waarmee een revolutionair commando zijn benoeming tot minister had begroet. Zowel de bommenleggers als, even later, de vreedzame betogers besteedden weinig aandacht aan Cavallo's 'besmette' verleden onder de junta. Veel ernstiger vonden zij zijn ultra-liberalisme.

Als er inderdaad al sprake is van een soort verzoening, dan bleek die uit de samenstelling van de regering van De la Rúa, die een coalitie heeft gevormd met het Frepaso (Frente del País Solidario), een samenraapsel van linkse en peronistische politici. Onder hen bevonden zich enkele burgers die vroeger nauw waren betrokken bij de Montoneros, zoals de minister van Arbeid, telg uit het geslacht Bullrich.

Buenos Aires wordt bestuurd door een burgemeester van het Frepaso, Aníbal Ibarra, die als middelbare-scholier veel te stellen had met het regime. Hij ziet zijn verzet tegen de junta absoluut niet als een beletsel om naast Jorge Zorreguieta te staan op de dag dat de stichting van Buenos Aires wordt herdacht.

Ibarra zou bij zo'n gelegenheid nooit en te nimmer iemand uitnodigen, laat staan voor een belangrijke rol tijdens de ceremonie, wie hij schendingen van de mensenrechten verwijt. Bij zulke gelegenheden staat Zorreguieta ook nogal eens naast de president, die toch niet onwetend zal zijn over het gezelschap waarin hij verkeert. Zorreguieta wordt beschouwd als een voormalige politieke tegenstander, niet als een vijand.

De linkse parlementariër Humberto Volando spreekt Zorreguieta regelmatig in het parlement als deze komt lobbyen voor de suikerindustrie. Diens verleden interesseert hem niet. 'Mensen als Zorreguieta hadden niets met de repressie te maken. Al zouden ze dat hebben gewild, dan hadden de militairen dat nooit toegestaan,' vertelt deze veteraan die tijdens het Proceso tweemaal het doelwit was van een bomaanslag in het flatgebouw aan een drukke straat in de binnenstad van Buenos Aires. Bewoners van de flat verzochten hem vervolgens te verhuizen.

Volando is lid van het Frepaso. Hij denkt dat beide aanslagen zijn gepleegd door leden van een inlichtingendienst van een van de strijdmachtonderdelen. Zekerheid heeft hij nooit gekregen. Zowel aanhangers van het regime, zie Juan Alemann, als tegenstanders als Volando liepen aanzienlijk gevaar. Dit gedeelde verleden lijkt een band te hebben geschapen.

Er bestaat één belangrijke uitzondering op de regel van de vergevingsgezindheid jegens burger-ministers: José Martínez de Hoz. De beschuldigingen aan zijn adres zijn vooral ideologisch van aard, maar Martínez de Hoz heeft ook last van andere aantijgingen. Ooit zou hij militairen hebben benaderd met het verzoek om een zakenman uit te schakelen met wie zijn steenrijke familie een conflict had. De man werd ontvoerd en kwam met de schrik vrij. Ook gaan er verhalen dat hij opdracht heeft gegeven een journalist te laten verdwijnen. Dankzij de amnestie van Carlos Menem uit 1990 zijn deze zaken nooit voor de rechter gekomen.

Toch durft Martínez de Hoz zich niet meer zo vaak op straat te vertonen, omdat hij regelmatig agressief wordt benaderd. Voor militairen die betrokken waren bij het Proceso, is die agressie schering en inslag. Medio 2000 verbouwden linkse betogers een café bij het parlementsgebouw waarin ze een oud-officier van de marine herkenden. Burgerministers hoeven, Martínez de Hoz uitgezonderd, op straat echter niets te vrezen. De morele kant van de zaak – de medewerking van burgers aan een regime waarvan iedereen de gruwelen kon weten – komt nauwelijks aan bod.

Als de burgers al hun energie steken in het vereffenen van oude rekeningen, komen ze nergens anders meer aan toe. Wij kunnen dat opportunistisch en laf vinden, Argentijnen zien dat vaak anders: ze willen een gewoon, misschien wat saai leven, zonder steeds weer die coups en tegencoups, zonder de massale devaluaties. Ze hunkeren naar een behoorlijk salaris, een goede opleiding voor de kinderen, een stabiele regering en enige burgerzin. Het zijn de voor verwende Europeanen zo vanzelfsprekende zaken die Argentijnen als het hoogste goed beschouwen.

In linkse kring en bij groeperingen voor de mensen-rechten ligt het verleden nog wel vers in het geheugen. Daar rekent men mensen als Jorge Zorreguieta tot de op-hitsers tot de coup. Miguel Bonasso vindt dat de militai-ren slechts een dienende rol vervulden.

Nogal wat aanhangers van dit soort standpunten zijn bij-ziend aan het linkeroog: zij vinden Zorreguieta een schurk, maar wee degene die het waagt Cuba te bekritiseren. Bo-nasso was woedend toen Argentinië begin 2001 in de Ver-enigde Naties meestemde met een resolutie tegen Cuba. 'Cuba is een land waar in de veertig jaar van de revolutie nooit iemand is gemarteld, waar nooit iemand is verdwe-nen.'

Bonasso's verontwaardiging over de clementie jegens ex-bewindslieden als Zorreguieta zou oprechter klinken wanneer zij ook de behandeling gold van andersdenken-den op Cuba, waar de dictatuur in veel opzichten grim-miger is dan in Argentinië tijdens het Proceso. Een moge-lijke verklaring voor het linkse standpunt is dat veel Montoneros na de coup van 1976 lange tijd op Cuba ver-bleven, waar ze geholpen werden om in het geheim en met een vals paspoort terug te keren naar Argentinië.

Ook Bonasso bevond zich eind jaren zeventig in Hava-na, als gast van Fidel Castro. Hij was erheen gereisd met Rodolfo Galimberti, wiens niet-geautoriseerde biografie *Galimberti* begin 2001 enorm goed verkocht. Galimberti gaf leiding aan het Montoneros-commando dat in 1974 Argentiniës rijkste zakenlieden ontvoerde. Later zou hij profiteren van Menems amnestieregeling voor zowel linkse als militaire terroristen en zich ontwikkelen tot een geslaagd zakenman, die vergiffenis vroeg en kreeg van de door hem ontvoerde gebroeders Born en met een van hen 'in zaken' ging. Samen met zijn vroegere leider Mario Firmenich vroeg hij ook de Argentijnen om vergif-fenis voor hun gewelddadige verleden.

Carlos Menems verzoeningspogingen betroffen niet alleen het recente verleden. Hij liet kort na zijn aantreden de weinige stoffelijke resten van een caudillo uit de negentiende eeuw, Juan Manuel de Rosas, vanuit Engeland overbrengen naar het kerkhof in Recoleta. Historisch bewusten hadden minstens een eeuw gekibbeld over de vraag of Rosas nu een patriot was of een dictator. Die laatste beoordeling was lang de officiële. Rosas sleet de laatste twintig jaar van zijn leven in ballingschap op een boerderij bij Southampton in een tijd dat Groot-Brittannië gold als de bevoogdende macht aan de Río de La Plata.

Men zou voorzichtig kunnen suggereren dat Argentinië zich om belangrijker zaken druk moet maken, maar de kwestie-Rosas hield Menem bezig. In november 1999 kreeg het officiële eerherstel van de caudillo zijn beslag met de onthulling van een groot bronzen ruiterstandbeeld.

Een maand later werd Fernando de la Rúa geïnstalleerd als de nieuwe president. Ten tijde van de officiële bekendmaking van de verloving van Willem-Alexander en Máxima Zorreguieta was hij al hard op weg een tweede Raúl Alfonsín te worden, zonder diens verdiensten voor de Argentijnse democratie. De la Rúa, wiens familie uit het Spaanse Galicië emigreerde, bleek een zwak leider van een land dat zich met steeds minder succes vastklampt aan zijn Europese wortels.

# Deel III

# 8

## Jorge Zorreguieta weet van niks

Vrienden of kennissen van Jorge Zorreguieta – althans zij die zich zo noemen – zijn het erover eens: de troebelen in Nederland rond zijn dochter hebben Coqui, zijn bijnaam, binnen korte tijd zichtbaar ouder gemaakt. Inmiddels is hem aan te zien dat hij in 1928 is geboren en dat de jaren voor hem gaan tellen.

Het is opvallend dat de hoge pieten in het bedrijfsleven van Argentinië, al dan niet gelieerd aan de staat, tot op hoge leeftijd actief blijven. Ook burgercollega's van Jorge Zorreguieta uit zijn loopbaan in de militaire regering gaan gewoon door, zoals de man die hij in 1979 opvolgde als staatssecretaris van Landbouw, nu een nog steeds druk bezet advocaat van midden zeventig.

'Arme Coqui, waarom straffen jullie die man zo wreed? Omdat hij heeft geholpen ons land te bevrijden van de chaos onder Isabel Perón?' Een functionaris van de Sociedad Rural, waarvan Zorreguieta lange tijd secretaris is geweest, zegt meteen waar het op staat. Deze man van rond de veertig moet deel uitmaken van een welgestelde familie, want hij vertelt dat zijn ouders hem begin jaren zeventig naar het buitenland stuurden in afwachting van rustiger tijden.

Zelf heeft hij Zorreguieta maar een paar keer ontmoet op de Rural en andere pleisterplaatsen van de elite. De indrukken van deze Brits overkomende man, die liever anoniem wil blijven: 'Jorge Zorreguieta wekte nooit de indruk van een grand seigneur, ondanks zijn hoge posten in de Argentijnse samenleving. Een beetje een verlegen man, voorkomend op een natuurlijke manier.'

Zorreguieta's collega in de regering, Juan Alemann, is ook vervuld van medelijden over wat Coqui moet doormaken. 'Die goede man is er kapot van, hij vindt het vreselijk voor zijn dochter.' Alemann beschouwt Zorreguieta als 'een apolitieke topfunctionaris, in feite een eenvoudig man, die zich altijd ongemakkelijk heeft gevoeld in de schijnwerpers van de publiciteit'.

De verlegenheid die beide kennissen ontwaren, lijkt in tegenspraak met de karaktertrek die nodig is voor een spilfunctie in een old boys' network. Professor Michiel Baud schrijft in zijn verslag dat Zorreguieta zijn indrukwekkende carrière juist te danken had aan 'zijn sociale vaardigheden, uitvoerende capaciteiten en zijn flexibiliteit'.

Juan Alemann zegt over zijn loopbaan in de regering hetzelfde als Zorreguieta later schreef aan Baud: door zitting te nemen in de regering was hij gedwongen om veel beter beloonde banen in het bedrijfsleven of elders te laten schieten; hij ging om idealistische redenen in de regering. Zorreguieta vertelde Baud: 'Ik heb geen enkel economisch voordeel gehad van mijn deelname aan de militaire regering. Ik kwam er armer uit dan ik er inging.' Zorreguieta's brief, waarin hij op tal van punten Bauds beweringen en conclusies tegenspreekt, is als bijlage opgenomen in Bauds boek *Militair geweld, burgerlijke verantwoordelijkheid*. De conclusies zijn voor Zorreguieta niet erg gunstig en deden hem – na lang aandringen – afzien van zijn voornemen om koste wat het kost aanwezig te zijn bij het huwelijk van zijn dochter. Volgens een reconstructie in *NRC Handelsblad* van 14 april 2001 was het uiteindelijk Máxima die haar vader tijdens een dramatisch beraad in São Paulo deed zwichten.

Juan Alemann gold, al ruim voor zijn benoeming in de

subtop van het Videla-regime, als een flamboyant figuur. Hetzelfde gaat op voor een andere collega, Guillermo Walter Klein, ook een zoon uit een Argentijns geslacht met aanzien. Maar van Zorreguieta hadden eigenlijk maar weinig Argentijnen gehoord voordat hij toetrad tot het regime. Hij had zich in zijn lange loopbaan altijd op de achtergrond gehouden, wat voor hem een natuurlijke eigenschap is.

Jorge Zorreguieta's leven als notabele, als directeur van het Centro Azucarero Argentino, de centrale raad van de suikerindustrie, veranderde toen het Spaanse, in Latijns-Amerika veelgelezen kletsblad ¡Hola! een artikel plaatste over de nieuwe vriend van zijn dochter. Máxima, de oudste dochter uit zijn tweede huwelijk, had het weleens met hem gehad over ene Alex uit Holland, maar pas in ¡Hola! zag haar vader wie deze Alex in werkelijkheid was. Juan Alemann: 'Hij belde Máxima in New York en vroeg bezorgd of ze wel wist waar ze aan begon. Papa, maak je niet ongerust, was het antwoord. We houden van elkaar.'

De huwelijksplannen van Máxima maakten van Jorge Zorreguieta met forse vertraging toch nog een bekende Argentijn en elke vezel in zijn lichaam leek zich daartegen te verzetten. Argentijnse kranten als *Página 12* en *Clarín* grepen de opschudding rond Zorreguieta aan om de rol van burgers tijdens het militair regime onder de loep te nemen. Columnisten in *Página 12* achten burgers als Zorreguieta en Alemann minstens zo schuldig als de Videla's en de Galtieri's. Die columnisten zijn meestal wat oudere mannen, soms met een militant verleden bij de Montoneros of bij organisaties voor de mensenrechten. Hun bijdragen worden nogal eens op de voorpagina geplaatst, zodat de krant de indruk wekt zich geheel met hen te identificeren.

*Clarín*, de krant met de grootste oplage, beschikt over een aantal specialisten die hun stokpaarden ver van de voorpagina's moeten berijden. Vooral Vicente Muleiro had flink uitgepakt. Hij behoort tot de stroming onder de intelligentsia die technocraten als Zorreguieta schuldig achten aan wat zij beschouwen als de ondergang van hun land. In hun voorwoord van *El Dictador* schrijven Muleiro en María Seoana: 'Dit boek vormt nauwelijks een pagina in het lange, doorlopende, verhaal over een land waarvan wij houden en dat wij nog steeds Argentinië noemen.'

Gevraagd naar de betekenis van de woorden 'nog steeds', tijdens een bezoek aan de redactie van *Clarín*, antwoordt Muleiro: 'De militairen, gesteund door burgers als Jorge Zorreguieta, hebben geprobeerd om van Argentinië weer een land te maken waar de oligarchie het voor het zeggen had. De militairen wilden het open, democratische Argentinië, een land opgebouwd door immigranten uit Europa, vernietigen en zijn rijkdommen verkopen aan de hoogste bieder.

In die opzet is het dictatoriale regime tussen 1976 en 1983 ook geslaagd. In maart 1976 leefden we in Argentinië veel beter dan nu, ondanks de politieke chaos en het geweld. Het werkloosheidscijfer bedroeg toen drie procent, en nu achttien procent. De democratische regeringen hebben de teloorgang van Argentinië niet meer kunnen keren.'

Muleiro, en ook Argentijnen ter uiterst linkerzijde, plaatsen altijd kanttekeningen bij de 'schuld' van topfunctionarissen als Jorge Zorreguieta. 'Er kleeft geen bloed aan zijn handen,' vindt Muleiro.

De uitspraak 'schuldig' is dus volledig ingegeven door politiek-nationalistische sentimenten waarbij leden van het establishment als Zorreguieta worden afgeschilderd als handlangers van het vervloekte liberalisme, dat het land alleen met de knoet van een militaire dictatuur kon worden opgelegd. En dat liberalisme heeft geleid tot Argentiniës ondergang als een ooit trotse natie. Mensen die zulke theorieën aanhangen – en dat zijn er in Argentinië heel wat – vermelden nooit dat de halve wereld een ontwikkeling in liberale richting heeft doorgemaakt, zonder dat dit automatisch en overal tot rampspoed heeft geleid.

Zij die het 'J'accuse' uitspreken aan het adres van Zorreguieta, zijn ervan overtuigd dat hij deel uitmaakte van een duivels militair-burgerlijk complot om Argentinië terug te brengen naar de oertijd van het kapitalisme.

Het slechte nationale zelfbeeld wordt ook door de regeerders van toen gedeeld. 'Somos unos incapaces' (We zijn een stelletje klungels), vindt Zorreguieta's ex-collega Juan Alemann, die toch in een positie leek te verkeren waarin hij iets aan de situatie had kunnen veranderen.

De verwikkelingen rond Jorge en Máxima Zorreguieta hebben in elk geval gezorgd voor een nadere beschouwing van de rol van burgers in het Proceso. Dat aspect van de dictatuur was tot dan toe onderbelicht gebleven. Vicente Muleiro gebruikte de controverse, die zich overigens afspeelde in zeer beperkte kring, om Jorge Zorreguieta te portretteren als 'een van de gaucho's van Martínez de Hoz', superminister van Economische Zaken en eerder dan Jorge Videla Zorreguieta's superieur. Muleiro gebruikt het woord 'gaucho' in een lang artikel in *Clarín* in een strikt negatieve betekenis. Dat is vreemd, want de gaucho blijft in Argentinië de belichaming van de argentinidad en van waarden als eerlijkheid, onbaatzuchtigheid en een dédain voor materiële zaken. Hij lijkt de aanduiding hier eerder te gebruiken om Zorreguieta's band met de landbouw en veeteelt aan te geven: het is een man van het land, van el campo.

Nederland zorgde zo toch voor een relletje in intellectuele kring. De aanhangers van de collaboratietheorie stonden tegenover intellectuelen die hun opponenten beschouwden als scherpslijpers. Tot deze laatste categorie behoort de man die Videla en andere juntaleiders tot levenslang hielp veroordelen, Luis Moreno Ocampo. 'Dus Zorreguieta heeft geroepen dat Isabel Perón moest ophoepelen? Dat had hij dan gemeen met vijfennegentig procent van de Argentijnse bevolking op dat moment.'

Moreno Ocampo reageerde op de artikelen in *Trouw* van begin maart, waarin geconcludeerd werd dat Zorreguieta wel degelijk nauw betrokken was bij de voorbereidingen van de coup tegen Isabel Perón. Zo nam hij intensief deel aan de 'staking van de werkgevers' in februari 1976. 'Tijdens die lock-out van de bazen,' schreef Vicente Muleiro, 'was het chaotische, groteske Argentinië van Isabel Perón een oase van stilte waarin zelfs de vogels weigeren te vliegen. Dat was de generale repetitie van de nóg intensere en gruwelijkere stilte die op 24 maart van hetzelfde jaar bezit nam van Argentinië.'

Muleiro noemt de werkgeversstaking 'de liefdesverklaring van het zakenleven die de militairen nodig hadden'. De militairen 'waren onder de indruk van de organisatie van de staking, die zorgde voor de sluiting van zowel zware industrieën als de kleinste krantenkiosk'. Volgens Muleiro wisten de militairen sinds die staking dat zij de burger-opponenten nauw moesten betrekken bij hun plannen Argentinië hardhardig te hervormen.

*Trouw* heeft Argentijnen gesproken volgens wie Jorge Zorreguieta zich goed staande hield bij die agitatie van rechts. Als secretaris van de Sociedad Rural wogen zijn woorden zwaar. In zijn verhaal 'De coup met pak en das' noemt Vicente Muleiro echter niet één maal Zorreguieta's naam als gangmaker achter de ontwrichtingsacties van rechts. Wel passeren de namen de revue van tal van leden van traditionele families, die zich duchtig weerden, ook op samenzweerderige bijeenkomsten: Martínez de Hoz, Jaime Perriaux en Mario Cadenas Madariaga, Zorreguieta's chef in de eerste jaren na de putsch.

Lezing van Muleiro's andere stukken leidt tot de conclusie dat Zorreguieta zich steeds beschikbaar hield, maar dan wel op de achtergrond. Alsof hij de echte hoge heren, vaak vertegenwoordigers van de landaristocratie, niet voor de voeten wilde lopen. Zorreguieta zorgde voor de mobilisatie van de organisaties waarmee hij al sinds de jaren zestig in nauw contact stond, zoals de Sociedad Rural en de Acción Coordinadora de las Entidades Gremiales Libres. Hij voelt zich vooral thuis in laatstgenoemde organisatie van werkgevers, maar ook bij andere beroepsorganisaties heeft hij zijn contacten.

De beweringen in *Trouw* over Zorreguieta's vooraanstaande rol bij de voorbereidingen van de coup leidden in de Nederlandse pers tot een rel. Ineke Holtwijk, correspondente in Zuid-Amerika van *de Volkskrant* en het *NOS Journaal*, die de primeur had van de vriendschap tussen Willem-Alexander en Máxima, vond dat *Trouw* Zorreguieta betichtte op grond van complottheorieën die in bepaalde Argentijnse journalistieke en wetenschappelijke kringen gemeengoed zijn, net als de door ideologie ingegeven beschuldigingen van Muleiro en Bonasso.

Er was geen spat bewijs geleverd van Zorreguieta's schuld, in tegenstelling tot wat *Trouw* met nadruk suggereerde. Dat hij fel gekant was tegen de communisten en peronisten, was geen geheim, maar die antipathieën hoefden hem niet per se verdacht te maken. Luis Moreno Ocampo had in dit verband gezegd dat Zorreguieta de mening vertolkte van bijna alle Argentijnen, maar de honger naar 'feiten' over Máxima's vader, liefst natuurlijk in zijn nadeel, hadden volgens Holtwijk gezorgd voor een opgeklopt sfeertje in de pers waar de waarheid altijd onder lijdt. Zij deed de verhalen in *Trouw* af als 'pseudofeiten, opgebouwd uit waarschijnlijkheden en veronderstellingen'.

Al dan niet door Zorreguieta gedane uitspraken bewijzen niets. Zijn actieve of iets minder actieve rol in 1976 is irrelevant, vindt Holtwijk, om het simpele feit dat de coup op dat moment gewenst was door de meeste Argentijnen. 'Ook het buitenland verwelkomde het ingrijpen van de militairen. De hoogste kerkelijke leiders betuigden op de dag van de coup hun instemming.' Dit laatste is juist, maar later, toen was bewezen dat kerkelijke figuren actief hadden gecollaboreerd, bijvoorbeeld door mensen aan te zetten anderen te verklikken, bood de kerk als instituut haar excuses aan. Hetzelfde gold eind jaren tachtig voor het leger, in de persoon van de toenmalige opperbevelhebber Martín Balza.

Jorge Zorreguieta moet verrast zijn geweest dat ook hem om rekenschap werd gevraagd, omdat hij zichzelf altijd had beschouwd als een technocraat. In zijn brief aan professor Baud betuigt hij zijn afschuw over wat hij nog steeds lijkt te beschouwen als excessen. 'Ik keur elk geval van marteling, verdwijning of moord af.' Van echte verontschuldigingen is in de brief geen sprake. Uit de toon blijkt dat Zorreguieta nog steeds niet begrijpt waar alle commotie in Nederland over gaat. Zo eerlijk, zo principieel of, zo men wil, zo koppig is hij in elk geval wel.

Met een misschien wat verwrongen logica valt ook te zeggen dat Zorreguieta niet anders kon. Zou hij excuus aanbieden voor een regime dat hij zegt slechts als vakman te hebben gediend, dan zou hij indirect hebben toegegeven dat zijn rol toch belangrijker was dan hij aanvankelijk beweerde.

Voor een apolitieke technocraat heeft Jorge Zorreguieta nogal wat ferme ideologische uitspraken gedaan. Tijdens speeches riep hij zijn gehoor meer dan eens op tot steun aan het Proceso de Reorganización Nacional van generaal Videla en aan diens opvolger Viola. 'Er begint een nieuwe etappe in het Proceso,' zei Zorreguieta in

1981 bij zijn afscheid als staatssecretaris van Landbouw. 'Een nieuwe ploeg van patriottische, hardwerkende mensen treedt aan, ter verzekering van het succes van generaal Viola en van het vaderland.'

Kort tevoren, bij de opening van een landbouwtentoonstelling in de stad Rosario, had hij de loftrompet gestoken over het leger. 'Ik neem de gelegenheid te baat voor een hommage aan onze strijdkrachten, dankzij welke wij nu in Argentinië in vrede en veiligheid leven. Veel leden van de strijdkrachten aarzelden niet hun leven te geven voor de grootheid van ons vaderland.'

Zorreguieta onderschrijft hier de officiële lezing van destijds dat de strijdkrachten een oorlog voerden tegen de linkse subversie. Volgens de toenmalige Amerikaanse president Carter gingen ze zich echter te buiten aan een wrede mensenjacht.

De citaten van Zorreguieta zijn te vinden in het archief van *La Nación*. Ze lopen volstrekt in de pas met de toen heersende ideologie en zijn om die reden niet erg schokkend. Gezien de verlate belangstelling voor zijn doen en laten, zal Zorreguieta evenwel hebben gewenst dat hij destijds een toontje lager had gezongen.

Willem-Alexander bracht later *La Nación* ook onder de aandacht van de Nederlandse media, als mogelijkheid om een 'completer' beeld te krijgen en dus te geven. Hij verwees naar een ingezonden brief van Jorge Videla, waarin deze de uitspraken ontkent die hem in *El Dictador* worden toegeschreven. Een slechtere getuige had de kroonprins niet kunnen verzinnen. Het 'een beetje dom' van Máxima, uitgesproken tijdens de persconferentie in Paleis Noordeinde, bracht de prinselijke flater terug tot zijn ware proporties.

Zorreguieta zong de lof op het dappere leger in een tijd dat de strijd tegen de Montoneros en het Revolutionaire Volksleger ERP allang was gewonnen, de overlevende terroristen zich stilhielden en de harde kern naar Midden-Amerika vertrokken was om daar revolutionaire adviezen te geven. Mogelijk klampte hij zich vast aan de mythe dat Argentinië nog steeds werd bedreigd, hetgeen wel zo goed was voor zijn eigen gemoedsrust. Zijn tweede vrouw zou tot in 1987 de strijdkrachten blijven loven, zo blijkt uit de petitie die ze in dat jaar ondertekende en die door RTL Nieuws wereldkundig werd gemaakt. 'Het Proceso,' zei Zorreguieta in de stad Tucumán, 'verenigt de beste mannen en vrouwen van onze republiek. We moeten vasthouden aan de richtlijnen zoals vastgelegd door onze strijdkrachten.'

Staatssecretaris van Landbouw Mario Cadenas Madariaga zei in 1979 bij zijn afscheidstoespraak: 'Onze landbouwpolitiek speelt een voorhoederol in het Proceso Nacional. De afgelopen drie jaren was sprake van recordoogsten in de Argentijnse geschiedenis.' Cadenas Madariaga trad af, zou hij later zeggen, wegens een meningsverschil met Martínez de Hoz, onder meer over de beste manier om de hollende inflatie een halt toe te roepen. Zorreguieta volgde hem op als staatssecretaris. Argentijnse kranten gebruikten in die tijd verschillende titels voor hem: secretaris of ondersecretaris van landbouw en veeteelt, en ook wel Ministro.

Volgens het weekblad *Veintidós* was Zorreguieta ook adviseur van militaire regimes in de jaren zestig, zoals geleid door de generaals Juan Carlos Onganía en Alejandro Lanusse. Laatstgenoemde is de geschiedenis ingegaan als de man die bevel gaf tot de 'nacht van de lange stokken', de harde repressie aan de universiteiten.

Uit de archieven van *La Nación* blijkt dat Zorreguieta als dienaar van de junta een druk leven leidde. Zijn baan vereiste, zeker na zijn promotie tot staatssecretaris, zijn aanwezigheid bij nogal wat ceremonieel vertoon. Zo mocht hij in 1980 Jorge Videla vergezellen toen deze in zijn geboortestad Mercedes een veemarkt kwam openen. 'Zorreguieta's aanwezigheid maakte deze gebeurtenis extra belangrijk voor de inwoners,' schreef de plaatselijke krant. Na de opening namen Videla en Zorreguieta een parade af van bewoners van Mercedes, onder wie kinderen van de lagere scholen in en om het stadje. Ze droegen een blauw-witte Argentijnse vlag van tachtig meter lengte. 's Middags keken de hoge gasten naar een folkloristisch spektakel op de plaats waar de veemarkt moest komen en naar een partij pato, een soort polo, tussen het plaatselijke team en de ploeg uit het nabije Chivilcoy. De veemarkt zou er overigens nooit komen, het bleef bij die eerste steen gelegd door Jorge Videla in Mercedes dat hem later zijn ereburgerschap zou ontnemen.

Zorreguieta reisde verder de hele wereld af. Niets wijst erop dat hij in Europa of elders werd aangesproken op de gruweldaden die toen in Argentinië werden begaan. Dat kan liggen aan de (zelf)censuur, maar waarschijnlijker is dat hij er weinig mee werd lastig gevallen.

Zorreguieta had ervaring opgedaan in het stilzitten terwijl hij werd geschoren – een vaardigheid die hem goed van pas kwam toen hij niet wilde reageren op alles wat hem in de Nederlandse pers werd verweten – toen hij de regering in Washington moest uitleggen waarom zijn land niet meedeed aan de Amerikaanse graanboycot tegen de Sovjet-Unie, maar juist zaken deed met Moskou.

Het gewroet van Nederlandse journalisten in de archieven werd door Argentijnen, die in principe toch geïnteresseerd zouden moeten zijn, gadegeslagen met nauwelijks verholen spot. Ze gingen gewoon verder met hun vaak chaotische leven. Terwijl in Nederland het ene pseudo-nieuwtje over Zorreguieta het andere afwisselde, bewees Argentinië dat er een andere politieke cultuur op na te houden. Zo werd ten tijde van alle opschudding in Nederland Manuel Solanet benoemd in het team rondom

de nieuwe minister van Economische Zaken, Ricardo López Murphy. Solanet had, net als Zorreguieta, gediend
onder het generaalsbewind. Het interesseerde slechts
zeer weinigen. Alleen *Página 12* legde er de nadruk op, in
een kaderstukje onder de kop 'De man van de dictatuur'.
Een paar dagen later was López Murphy alweer afgetre-
den en opgevolgd door Domingo Cavallo, in de nadagen
van de dictatuur president van de Centrale Bank. Ook
toen bleek weer dat de rol van burgers in dictaturen de
Argentijnen niet of nauwelijks interesseert. Alleen extreem-links nam aanstoot aan Cavallo's benoeming.

'Weer werden, net als bij het Mundial in 1978, de Nederlandse en de Argentijnse samenleving geconfronteerd
met volledig verschillende mentale schema's,' schrijft
Baud. 'Nederlanders hanteren nogal eens een eenduidig
goed-fout schema, gebaseerd op de ervaringen van Nederland in de Tweede Wereldoorlog. Argentinië heeft een
meerstemmige en veel dubbelzinnigere visie op het verleden. De botsing van die visies kan tot veel misverstan-
den leiden. Dat werd al duidelijk tijdens het Mundial,
toen Nederlandse journalisten grote moeite hadden de
schakeringen van de Argentijnse sociale en politieke samenleving op waarde te schatten.'

Baud, die voor zijn onderzoek eveneens de archieven
van *La Nación* heeft bekeken, waar de aloude knipsel-
mappen nog in ere worden gehouden, vindt dat Zorreguieta altijd een 'ideologisch stilzwijgen' heeft bewaard.
Anderen zullen het daar, na lezing van de eerder genoemde uitspraken, niet mee eens zijn. Wel vindt Baud dat de
Sociedad Rural, waarin Zorreguieta een belangrijke rol
heeft vervuld, kon worden beschouwd als 'een politieke
partij die de militairen steunde'.

De steunbetuigingen van de Rural aan het regime
werden feller naarmate de kritiek uit het buitenland toe-
nam en het einde van het bewind onafwendbaar leek.

'Zorreguieta was op het moment dat hij als subsecretaris tot de regering toetrad, net opgeklommen tot secretaris-directeur, een uitvoerende, maar invloedrijke positie. Samen met de voorzitter, die traditioneel uit de oude grondbezittende families voortkwam, bepaalde hij in 1976 het gezicht van de Rural. Het is niet voorstelbaar dat de Rural een directeur zou benoemen die sterk dissidente politieke opvattingen zou hebben gehuldigd.'

Baud oppert enkele malen dat Zorreguieta zich altijd zo op de vlakte hield uit angst zich te vervreemden van de elite waarmee hij nauw samenwerkte, maar waartoe hij eigenlijk niet echt behoorde. Baud weet dat wanneer Zorreguieta bij de militairen en het agrarische establishment uit de gratie zou vallen, hij zijn sociale positie allerminst zeker zou zijn.

Bij de Baskisch-Argentijnse Stichting Juan de Garay is een foto te zien van een vervallen huis bij Tolosa in Spaans Baskenland. Hier werd Jorges verre voorvader José Antonio de Sorreguieta, wat 'punt' betekent, in 1777 geboren. De s werd pas vele jaren later in een z veranderd. Rond 1800 emigreerde De Sorreguieta naar Amerika, waar het latere Argentinië toen nog geen rol van betekenis speelde. José Antonio verbleef eerst enige tijd in Lima, toen de belangrijkste Spaanse stad in Zuid-Amerika, en vestigde zich later in Salta in het uiterst noordwesten van Argentinië, een gedeelte dat destijds nog viel onder Lima's gezag.

Was José Antonio nu een edelman of niet? Een vriendelijke archivaris van de Fundación Vasco Argentina is er nog niet helemaal uit. 'Met een beetje goede wil kun je hem beschouwen als een hidalgo, een soort edelman van laag niveau. Een hidalgo was in Spanje eigenlijk elke man die zelf een huis met wat land bezat. In Argentinië mogen Baskische families zich nogal eens omgeven met een air van aristocratie als hun voorouders zich hier vestigden voor de grote stroom van immigranten.' Niet-Baskische Spanjaarden, vooral nazaten van immigranten uit de regio Galicië, worden in Argentinië vaak spottend afgebeeld als boertjes van buutn.

José Antonio de Sorreguieta boerde goed in Salta en trouwde er met Micaela Maurín. Een van hun nazaten is Mariano Zorreguieta, die leefde van 1830 tot 1893. In de chaotische tijd dat Argentinië één natie begon te worden, was deze man in de regio Salta een bekend politicus, historicus en notaris. Salta gold en geldt eigenlijk nog als een goeddeels 'indiaanse' provincie, ooit behorend tot de uitlopers van het Inca-rijk. Alleen in dit soort Argentijnse gebieden zijn nog tal van Spaans-koloniale bouwwerken bewaard gebleven. In dergelijke regio's wordt de dienst nogal eens uitgemaakt door de 'adellijke' families, of in elk geval politieke dynastieën bij wie het gezag uit Buenos Aires altijd netjes belet moet vragen.

Een zoon van Mariano Zorreguieta, Amadeo, werkte voor de regering in Buenos Aires, die hem benoemde tot burgemeester van Mendoza, het centrum van de Argentijnse wijnindustrie aan de voet van de Andes. Amadeo Zorreguieta trouwde met Máxima Bonorino. Een van hun zonen is Jorge Horacio, Máxima's vader. Hij werd in 1928 geboren in Buenos Aires. De familie lijkt de banden met Salta nog wel te koesteren, maar leden wonen er niet of nauwelijks meer.

Basken in Argentinië laten zich graag voorstaan op hun rol bij de ontwikkeling van Argentinië, al hebben zij een zo mogelijk nog zwaarder stempel gedrukt op Uruguay, een veel kleiner land. Ook veel burgers uit Frans Baskenland vertrokken naar Zuid-Amerika, waar velen onderling nog steeds uitsluitend Frans spreken. Argentinië is het land dat in de wereld de grootste Baskische kolonie kent.

Bij de Baskisch-Argentijnse vereniging noemt men als

een van de oorzaken van de zin tot avontuur van juist de eerste Basken die de oversteek waagden, de chaotische en gewelddadige gebeurtenissen in Spaans Baskenland in de achttiende en negentiende eeuw. Maar voor andere delen van Spanje waren dat ook roerige tijden. Vaststaat dat gezanten van Argentinië vooral in Baskenland actief immigranten hebben geworven. De meeste Basken vertrokken tussen 1880 en 1910, waarbij ze werden aangemoedigd zich buiten Buenos Aires te vestigen, omdat het immense Argentinië dringend mensen nodig had om te bewijzen dat zijn gezag zich niet beperkte tot de hoofdstad en wijde omgeving. De Spaanse Burgeroorlog en de Tweede Wereldoorlog brachten ook veel Basken naar Argentinië, niet alleen republikeinen. Samen met de nationalisten, zoals de aanhangers van Franco genoemd worden, beschikten zij tot in de jaren vijftig in Argentinië over hun eigen bladen. Sinds 1950 is de Baskische immigratie zo goed als gestopt.

Jorge Zorreguieta schrijft in het voorwoord van het vuistdikke boek *Los Vascos en La Argentina*, uitgegeven door de Stichting Juan de Garay: 'Het is voor elke andere uit de immigratie ontstane gemeenschap heel moeilijk meer te betekenen voor het Amerikaanse continent dan de Baskische gemeenschap.' De Fundación lijkt een onderscheid te maken tussen 'goede' Baskische presidenten, als Hipólito Irigoyen, een democratisch gekozen staatshoofd uit het begin van de twintigste eeuw, en 'foute', als José Félix Uriburu, die zijn mede-Bask in 1930 afzette met het argument dat hij seniel begon te worden. De flat van de Zorreguieta's in Buenos Aires is gevestigd aan de calle Uriburu, maar dat slaat weer op een 'goede' Uriburu, José Evaristo, uit het eind van de negentiende eeuw, een oom van de couppleger.

Bij de Baskische Stichting is een secretaresse kwaad op Nederland, dat de door haar aanbeden don Jorge zo schandelijk behandelt. Anderen zijn uiterst spraakzaam en hulpvaardig als ze wat vertellen over hun voorzitter.

Jorge Horacio Zorreguieta's eerste baan was als despachante bij de douane, een gewone ambtenaar van niet al te hoog niveau. Argentijnen die terugkeren uit het buitenland, meestal na daar fors inkopen te hebben gedaan, bidden altijd dat zij een aardige en niet al te indiscrete despachante treffen.

Jorge heeft nooit aan een universiteit gestudeerd, maar dat was van weinig belang bij de ontwikkeling van zijn talenten als lobbyist. Al snel kreeg hij in de landbouw de ene adviseurs- en bestuursfunctie na de andere.

In 1966 wordt hij gedelegeerde, een soort ambassadeur, van de Sociedad Rural in Pergamino, in het uiterst vruchtbare gedeelte van de pampa. Het is een stadje van dertien in een dozijn, met een grote Italiaanse kolonie. Van 1968 tot 1972 is Zorreguieta er bestuurder van een bond van ondernemers in landbouw en veeteelt. Rond de tijd van de putsch van Jorge Videla is Zorreguieta opgeklommen tot voorzitter van de Sociedad Rural, wat hem bijna automatisch het lidmaatschap oplevert van tal van regeringscommisies op hoog niveau, maar uitsluitend op zijn vakgebied. Zo was hij ook voorzitter van de Nationale Graanraad.

Niets wijst erop dat Zorreguieta rechtstreeks was betrokken bij de terreur, constateert ook Michiel Baud. Over zijn geslaagde poging om een kennis uit de Campo de Mayo te bevrijden weigert hij elk commentaar, maar zijn ex-collega Juan Alemann houdt voet bij stuk. Slechts zeer weinigen, onder wie hoge militairen uit Videla's directe omgeving, slaagden erin iemand te bevrijden uit de kerkers van de militairen of de politie. Anderen, militairen of burgers, moesten hun pogingen tot inmenging in dit soort zaken zelf bekopen met ontvoering gevolgd door moord, of een bomaanslag, zoals Alemann.

Zorreguieta's toch niet geringe carrière had nog hoger kunnen reiken, maar als lid van de regering werd hij in zekere zin het slachtoffer van zijn conformisme. Collega's, en zijn voormalige superieur als staatssecretaris, begonnen steeds openlijker kritiek te leveren op Martínez de Hoz, de hoogste van alle burgerministers. De man achtte zich een genie op financieel-economisch gebied, maar onder zijn leiding kreeg Argentinië te maken met hyperinflatie. Zorreguieta begon zich pas tegen het einde van zijn ambtstermijn, in 1981, heel voorzichtig te distantiëren van Martínez de Hoz. Hoe afzijdig hij zich ook had gehouden, Zorreguieta gold toch als de stem van zijn meester en moest vertrekken toen in 1981 een nieuwe president-generaal aantrad, Roberto Viola, die met het ontslag van Martínez de Hoz tegemoet kwam aan het gemor in de regering, de strijdkrachten en onder de bevolking. Met de superminister moesten ook zijn paladijnen weg.

Drie jaar werd weinig of niets van Jorge Zorreguieta vernomen, tot hij in 1984 in de verre provincie Tucumán werd gekozen tot voorzitter van het Centro Azucarero Argentino, het verbond van de Argentijnse suikerindustrie. Hij vervult deze functie tot de dag van vandaag, vanuit het hoofdkantoor in het centrum van Buenos Aires.

Het archief van *La Nación* bevat enkele knipsels over Zorreguieta's activiteiten voor de suikerboeren. Zo verdedigt hij, in een ingezonden brief aan de krant, het besluit om Boliviaanse seizoenarbeiders in een bepaald jaar te weren van de suikeroogst, omdat in hun land een cholera-epidemie woedt. 'Hun aanwezigheid brengt ook voor ons land het gevaar mee van een epidemie, omdat de ervaring leert dat het grensgebied met Bolivia slecht wordt gecontroleerd.' Daarnaast bewijst het archief van *La Nación* dat Zorreguieta's tweede vrouw, María del Carmen Cerruti, Máxima's moeder, zich nogal eens wendt tot deze uiterst conservatieve krant. Zo beklaagde ze zich ooit over de exorbitante tarieven van een bedrijf dat de flatwoning aan de calle Uriburu van nieuwe sloten had voorzien.

Als leider van het Centro Azucarero heeft Zorreguieta ook veel contacten met topfunctionarissen uit Brazilië, Uruguay en Paraguay, de andere lidstaten van de Mercosur, een vrijhandelszone naar het voorbeeld van de Europese Unie. Máxima, een van don Jorges zeven kinderen, mocht soms mee.

Uit Jorge Zorreguieta's eerste huwelijk, in 1956 met Marta López Gil, werden drie kinderen geboren: María, Angeles en Dolores. Nadat Dolores in 1965 was geboren, liep het huwelijk tussen Jorge en Marta stuk. Dolores zou zich later als kunstenares vestigen in New York, waar ze zich in haar werk mede laat inspireren door de gruwelen in Argentinië. Angeles is als biologe werkzaam in Londen.

Jorge Zorreguieta leerde zijn tweede vrouw kennen in de poloclub van Pergamino toen hij hier werkte voor de Sociedad Rural. De familie Cerruti bezit er de estancia Las Escobas (De bezems). Volgens een bekend en hardnekkig gerucht was de in 1944 geboren María del Carmen Cerruti het kindermeisje, dat een verhouding kreeg met de veel oudere Jorge, waarna diens huwelijk op de klippen liep. Marta López Gil doceert nog steeds filosofie aan een universiteit van Buenos Aires.

Jorge en María verruilden Pergamino voor de hoofdstad, waar hun kinderen werden geboren. Een jaar na Máxima, geboren op 17 mei 1971 in een kliniek in Buenos Aires, komt Martín ter wereld. Tien jaar later krijgt Máxima nog een broer Juan (1982) en weer twee jaar later een zus, Inés (1984).

Een van Jorge Zorreguieta's medewerkers op de Baskisch-Argentijnse club verzekerde dat een Baskische pater familias nooit zou accepteren te worden geweerd van de bruiloft van zijn dochter. Jorge heeft zich dan ook tot het laatst verzet tot hij de vernedering slikte die nodig was om zich later de vader van een prinses of een koningin te kunnen noemen.

# 9

# Máxima, een typische porteña

Hoe lang zal het geduurd hebben voordat Máxima Zorreguieta op die spannende vrijdagavond, 30 maart 2001,
slaagde voor haar aanvaardingsexamen in Nederland?
Een kwart minuut, of nog korter? In de balzaal van Paleis
Noordeinde zat een door de omstandigheden geïntimi-
deerde, zenuwachtige jonge vrouw. Iedereen leefde met
haar mee toen ze de publieke beproeving moest doorstaan.

Al na de eerste woorden in haar verrassend goede Nederlands werd duidelijk dat we te maken hadden met iemand met allure, die in niets beantwoordde aan het be-
vooroordeelde beeld van het schuchtere burgermeisje dat
een prins aan de haak had geslagen. Gaandeweg leek het
alsof Máxima de regie van de persconferentie overnam,
enkele malen redde zij met haar glimlach de sfeer, wanneer Willem-Alexander verbeten reageerde.

Zelfs journalisten gaven na afloop op de televisie toe
dat ze bij tijden 'smolten', zeker toen Máxima lachend
Willem-Alexanders verwijzing naar de ingezonden stukken in *La Nación*, waar hij kennelijk onbedoeld Videla ci-
teerde, afdeed als 'een beetje dom'. Het is duidelijk dat zij
met verve een mijnenveld betrad en het gesterkt verliet.

De aanvankelijke vooroordelen van de Nederlanders,
hun denkbeelden over een Zuid-Amerikaanse, hun idee-
en over een land waarover ze voornamelijk slecht nieuws
hebben vernomen, komen nu naar boven. En dan heeft

uitgerekend de geliefde van de prins ook nog een vader met een besmet verleden.

De oude rel rond het wereldkampioenschap voetbal uit 1978 herleefde, hier en daar met dezelfde hoofdrolspelers. Nederland was weer verdeeld, met Argentinië als inzet. Veler haat richtte en richt zich nog steeds op de vader, niet op zijn dochter, maar toch...

Een journaliste van *Clarín*, naar Nederland gestuurd voor een reportage kort voordat de verloving bekend werd, vormde zich gaandeweg een misschien niet zo vleiend oordeel. 'Is Nederland wel klaar voor een kosmopolitische Argentijnse als Máxima Zorreguieta?' vroeg ze zich af. De verslaggeefster liet het antwoord in het midden.

Wel was haar opgevallen dat de Nederlandse opvattingen over een Zuid-Amerikaanse niet stroken met de Argentijnse realiteit zoals die belichaamd wordt door Máxima. Ze heeft veel gemeen met de jonge vrouwen en verloofdes van andere prinsen van Oranje én met Willem-Alexanders eerdere vlammen: ze is goed opgeleid, heeft een prima baan, en is bereisd ver buiten het eigen continent. Kortom, Máxima is beslist niet op zoek naar een prins die haar een droomwereld kan binnenleiden.

Het is een heel ander beeld dan dat van de latina die altijd druk bezig is zich op te tutten om haar man te behagen, voor zover ze niet bezig is kinderen te baren, te koken, te wassen of te strijken.

Tijdens die eerste persconferentie, en dan vooral tijdens de verklaring waarin Máxima steun betuigde aan de democratie, zullen in Nederland heel wat ideeën zijn bijgesteld. Over Argentijnse vrouwen, maar hopelijk ook over Argentinië zelf.

Op die persconferentie zei Máxima iets voor Argentijnen vanzelfsprekends, maar voor Nederland misschien toch verrassends. 'Ik wil u erop wijzen dat Argentinië sinds 1983 weer een democratie is.'

Aanvankelijk waren in Argentinië alleen roddelbladen als *Gente* en *Caras* geïnteresseerd in de relatie van Máxima Zorreguieta en de Nederlandse kroonprins. Maar temidden van alle opschudding over het verleden van pa Zorreguieta stuurden de kwaliteitskranten *Clarín* en *La Nación* speciale verslaggevers naar Nederland.

Het verschil in berichtgeving is niet altijd even gemakkelijk te ontwaren. María Laura Avignolo van *Clarín* had haar oor te luisteren gelegd bij 'hovelingen van het Huis van Oranje', die volgens haar bang waren dat Máxima straks de strijd zal aangaan met het koninklijk protocol. 'Máxima, een kosmopolitische Argentijnse, vindt het volstrekt normaal om te gaan winkelen in Italië om dan meteen door te vliegen naar Punta del Este [een badplaats in Uruguay waar bijna uitsuitend Argentijnen komen]. Als koningin zal Máxima dit voor haar volstrekt natuurlijke leefpatroon flink moeten wijzigen,' aldus Avignolo.

'Prins William' bevindt zich volgens Avignolo dankzij zijn vriendin in een 'proces van argentinisering'. De lezer komt niet te weten wat dit inhoudt. Wel schrijft ze, een paar zinnen verder, dat Máxima de kroonpins heeft afgeholpen van zijn gewoonte scheuten wodka in flesjes mineraalwater te doen om zijn liefde voor sterkedrank te camoufleren. Ook heeft ze het hem eindelijk afgeleerd naar andere vrouwen te kijken en heeft ze een echte vent van hem gemaakt. 'Mama, dit is de ware,' zou hij moeder Beatrix hebben toegevoegd op een toon die geen tegenspraak duldde.

In een eerdere bijdrage uit Nederland had Avignolo, gewoonlijk correspondente van *Clarín* te Londen, de lezer bestookt met vragen, zonder er ook maar één te beantwoorden. 'Hebben de Nederlandse inlichtingendiensten, die beschikken over een grote militaire basis in Venezuela, agenten naar Argentinië gestuurd om Zorreguieta sr aan de tand te voelen?' is daar een voorbeeld van.

De speciale verslaggeefster van *La Nación* constateer-
de eerder: 'In Nederland doet men het voorkomen alsof
Máxima's vader een soort Mengele is.' Alle door haar ondervraagde 'gewone burgers' in Amsterdam vonden echter dat de Nederlandse pers moest ophouden met het ge-
zeur en 'het verliefde paar een kans moest geven'.

*Página 12* publiceerde een lang stuk met als aanleiding de spijt die don Jorge zou hebben betuigd tijdens een
onderhoud met iemand van het tv-programma *Nova*,
met de kop 'Vader Zorreguieta heeft spijt van zijn spijt'.
Het dagblad wekte de indruk te geloven dat Zorreguieta
de persmuskieten van *Nova* niets van enige importantie
had meegedeeld. Weinig kranten deden een poging om
Máxima te benaderen of om een serieus portret van haar
te schrijven. Hoezeer men zich in Nederland ook op-
wond, de romance tussen een landgenote en een Nederlandse prins bleef in Argentinië aanvankelijk een B-on-
derwerp. Pas na de aankondiging van de verloving kwam
hier verandering in.

Máxima is het levende bewijs dat Argentijnen veel
met Europeanen gemeen kunnen hebben. Maar die iden-
tificatie met Europa gaat op veel punten mank. Geboren
en getogen in de barrio Norte, de uitgestrekte chique
noordelijke wijken van Buenos Aires, heeft Máxima haar
eerste twaalf levensjaren onder wel zeer on-Europese omstandigheden doorgebracht.

Argentinië bereidde zich begin jaren zeventig voor op
de terugkeer van Juan Perón uit ballingschap. Vooral Buenos Aires raakte steeds verder in de greep van Peróns aanhangers en tegenstanders, en van de onderling ruziënde
peronisten. Kort voor Máxima's geboorte waren niet ver
van haar ouderlijk huis legereenheden zelfs onderling
slaags geraakt.

In de periode rond Máxima's geboorte werd de ene na

de andere generaal werd afgezet. In juni 1970 heerste generaal Juan Carlos Onganía, een houwdegen die hard liet optreden tegen de onlusten aan universiteiten. Hij werd berucht met 'de nacht van de lange stokken'. Onganía werd opgevolgd door generaal Roberto Marcelo Levingston.

De guerrilla werd onderwijl sterker, vooral in de grote steden. De Montoneros, die steeds openlijker optraden als een gewapende strijdmacht, ontvoerden oud-president Pedro Eugenio Aramburu en executeerden hem. De Montoneros en andere strijdgroepen hadden het niet alleen voorzien op industriëlen, die op grote schaal werden ontvoerd en afgeperst, maar ook op de vakbondsleiders die ze betichtten van verraad aan de arbeidersklasse. Tot hun slachtoffers behoorden August Vandor en Dirk Kloosterman, beiden van Nederlandse afkomst.

In mei 1971 is het regime van Levingston alweer voorbij en neemt generaal Alejandro Agustín Lanusse het roer van hem over. Lanusse verrast iedereen, niet altijd op even plezierige wijze, door de weg vrij te maken voor de terugkeer van Juan Perón, wiens aanhangers steeds driester optreden en, bijvoorbeeld, de provincie Tucumán tot bevrijd gebied uitroepen. In maart 1973 wordt Héctor Cámpora, de trouwe dienaar van Perón, gekozen tot president. De terugkeer in Argentinië van de échte winnaar, Perón, gaat in juni van dat jaar gepaard met een vreselijke schietpartij tussen linkse en rechtse peronisten bij het vliegveld Ezeiza.

Temidden van al deze instabiliteit en al dit geweld gaat Máxima eerst naar de lagere school in de buurt Recoleta, niet ver van het ouderlijk huis. Colegio Malinchrot wordt bestierd door Duitse nonnen. De leerlingen dragen keurige uniformpjes, waar scholieren in volksere wijken meestal gehuld gaan in een witte stofjas, volgens Argentiniës revolutionaire beginselen bedoeld om te voorkomen dat de rijken met hun mooie kleren anderen de ogen uitsteken.

In de barrio Norte zijn de 'rijken' steeds vaker het doelwit van allerlei terreurorganisaties, links of rechts, peronistisch, trotskistisch, guevaristisch en wat niet al. In een dergelijke chaos roeren zich in de regel ook gewone criminelen. Videla's coup op 24 maart 1976 wordt in de noordelijke wijken, mogelijk nog meer dan elders, dan ook met vreugde begroet. Jorge Zorreguieta wordt een van de vele topfunctionarissen.

Het nieuwe regime publiceert het ene barse decreet na het andere. Een daarvan gaat Máxima rechtstreeks aan: het bewind roept op tot waakzaamheid tegen 'subversieve onderwijzers, die in de geesten van zelfs de jongste leerlingen rebelse ideeën willen zaaien'. Dat gebeurt, gaat de waarschuwing verder, vooral in de vorm van informele gesprekken na afloop van de les, waarbij het onderwijzend personeel hun 'tendentieuze' zienswijze geeft op de gebeurtenissen in Argentinië. Het decreet luidt als volgt: 'De laatste tijd is er sprake van een marxistisch offensief op het gebied van de kinderliteratuur, die jongeren wijst op de mogelijkheden zich buitenschools te ontwikkelen.'

Máxima zal op de privé-school waarschijnlijk weinig last hebben gehad van die directieven, maar de schoolleiding zal er toch kennis van hebben genomen. Autoritaire regimes in Argentinië hebben zich altijd beziggehouden met het onderwijs, ook op privé-scholen. Juan Perón bracht ooit een bezoek aan een dure, tweetalige kostschool voor jongens die hij op het hart drukte: ''s Ochtends mogen julie praten over de Falklandeilanden, als je ze 's middags maar de Islas Malvinas noemt.'

Alle ouders krijgen in het genoemde decreet uit 1979 het dringende advies erop toe te zien dat de linkse subversie niet de kans krijgt de geesten van de kinderen te indoctrineren. Gewaarschuwd wordt vooral tegen 'de verspreiding in sommige onderwijsinstellingen van het tercer-mundismo'. Tercer Mundo is de derde wereld waar Argentinië, bolwerk van de westelijke en christelijke beschaving, natuurlijk niet bij wenst te horen.

Ouders krijgen in het damesblad *Para Ti*, dat met onder meer *Gente* het Proceso actief steunt, ook enkele tips ter herkenning van subversieve leerkrachten. Oplettendheid is geboden wanneer hun kinderen thuis woorden bezigen als dialoog, bourgeois, proletariaat, Latijns-Amerika, uitbuiting en compromis. Ook de kleine Máxima loopt het risico een guerrillera te worden, want de agenten van links willen zo vroeg mogelijk de kiemen zaaien van toekomstige strijders, heeft het blad vastgesteld.

Bovenstaand voorbeeld is afkomstig uit het boek van Luis Moreno Ocampo. Hij noemt een geval waarbij ouders de lessen van *Para Ti* ter harte namen en een onderwijzeres aangaven omdat zij het woord Montonero bij een geschiedenisles op het bord had geschreven. Ze bedoelde een strijdmacht van gaucho's uit de negentiende eeuw, een onoverzichtelijke periode van oorlogen tussen allerlei caudillo's, maar de moeder dacht dat de juf lovend had gesproken over de links-peronistische beweging uit de jaren zeventig en gaf haar aan. Het kwam de lerares te staan op een langdurige gevangenschap.

*Para Ti* zette zich in 1978, kort voor het begin van het wk, ten volle in voor het regime, zoals overigens de hele media-onderneming waarvan het deel uitmaakt, Uitgeverij Atlántida. *Para Ti* stuurde ansichtkaarten aan wereldleiders als de presidenten Carter en Valéry Giscard d'Estaing met de teneur dat ze niet zo moesten zaniken. Michiel Baud heeft in zijn boek de tekst afgedrukt: 'Argentinië, de volle waarheid. De oorlog in Argentinië is afgelopen. Bij de uitgang van iedere school is het frisse gezicht van onze toekomst te zien. Voor hen hebben we gevochten, voor hen hebben we overwonnen. Zij hebben recht op het klimaat van vrede, saamhorigheid en vooruitgang waarin wij nu leven. Via boeken, infame leraren en jeugdverenigingen waren subversieve ideeën tot op de lagere scholen doorgedrongen. Onze kinderen leerden vóór alles de taal van het geweld. Ook op de scholen hebben wij moeten strijden om de vrede terug te krijgen voor onze kinderen.'

Máxima mag in die tijd van paranoïde nationalisme met haar ouders mee naar de feesten van de Sociedad Rural, die in Palermo beschikt over uitgestrekte terreinen. Een foto uit 1979 vormt inmiddels een vrij bekend beeld: Máxima staat ietwat verlegen wegens alle aandacht, maar toch ook wel trots, naast haar belangrijke vader bij de opening van een evenement dat de argentinidad viert, de nauwe verbondenheid van Argentinië met het vruchtbare land, waar het zijn welvaart aan dankt. Het ongedwongen karakter van de foto is opvallend, omdat de bewaking streng zal zijn geweest. Daar is op de foto niets van te merken. Geen mannen met zonnebrillen en wapens, geen militair uniform te bekennen, de sfeer lijkt ongedwongen en was dat hoogstwaarschijnlijk ook.

Het Buenos Aires van die dagen was niet te vergelijken met het Santiago de Chile na de coup van Augusto Pinochet in 1973, waar jaren later nog een verstikkend klimaat heerste. Santiago was in die dagen te vergelijken met steden uit het Oostblok, met zo'n grauwe, allesoverheersende mist van de dictatuur. De media stonden er volledig in dienst van het regime. Elke dag stonden de voorpagina's van de Chileense kranten vol nieuws over de schandelijke behandeling van Oost-Europese dissidenten. De Chilenen werden gehersenspoeld, net als de burgers van communistische landen slechts een paar uur ten oosten van Nederland.

In Argentinië was de uiterlijke normaliteit juist een

kenmerk van het dagelijks leven. De democratie was er niet volledig gemuilkorfd: eind jaren zeventig verschenen er in veelgelezen weekbladen spotprenten van de Videla's en Viola's en bijzonder gehate militairen als generaal Cristino Nicolaides, prenten die in Nederland nauwelijks zouden kunnen worden gepubliceerd als ze leden van het koninklijk huis zouden betreffen. Er was censuur, maar de kranten stonden ook weer niet vol met overheidspropaganda. Het regime had in 1979 wel overal posters opgeplakt met daarop de kaart van Argentinië, liggend op een bord, klaar om te worden verorberd. 'Als we ons verenigen, zullen we geen prooi zijn van de subversie' stond eronder. Bij sommige grensovergangen moesten reizigers hun bagage laten controleren op verdachte lectuur, zoals aan de kade in Tigre waar de bootjes uit Uruguay aankomen. De repressie gebeurde in Argentinië ondergronds, meestal letterlijk. Hier waren geen stadions met politieke gevangenen die de aandacht trokken van de internationale media en vervolgens van de Verenigde Naties en Washington.

Máxima moet zich desondanks zeer bewust zijn geweest van die moeilijk zichtbare dreiging in de straten van Buenos Aires. Haar vader wist dat hij een potentieel doelwit van de guerrilla was, zoals hij ook zei tegen de Nederlandse diplomaat Max van der Stoel en professor Michiel Baud. Guillermo Walter Klein, ook een dienaar van Videla op het niveau van staatssecretaris, ontsnapte in San Isidro aan een bomaanslag waarbij zijn huis werd vernield en een dochter gewond raakte. En Juan Alemann raakte, zoals gezegd, besmeurd door het bloed van zijn neergeschoten chauffeur in de wijk Belgrano. Heeft Jorge Zorreguieta Máxima ooit verteld dat twee van zijn collega's in de regering het doelwit waren geworden van een aanslag? Hij schrijft aan Baud: 'Ik liep over de restanten van het huis waarin de heer Klein met gezin was opgeblazen, terwijl de familie onder het puin vandaan werd gehaald. Het had de aanslag nauwelijks overleefd. [...] De organisaties van de Montoneros en de ERP stuurden dreigbrieven aan mij en mijn gezin. [...] Mijn gezin en ik leefden in onrust en angst, zowel om onze kinderen als om onszelf.' De Montoneros hadden het met name gemunt op burgerfunctionarissen. Voor dat doel waren zelfs speciale commando's het land binnengesmokkeld.

Het Northlands College, waar Máxima na de lagere school haar opleiding voortzette, werd discreet maar zwaar bewaakt. De anglofiele elite vecht om een peperdure plaats voor haar kroost op die school in de voorstad Olivos. Het wemelt op Northlands van het potentiële aantal symbolische doelwitten uit de oligarchie, een woord dat Argentijnen ter linkerzijde in de mond ligt bestorven.

Een verslaggeefster van *Veintidós* schreef, na de eerste berichten over de romance van de oud-leerling met Willem-Alexander, een verslag over Máxima's oude school. Het barst er van de leerlingen met klinkende namen in de Argentijnse geschiedenis, een categorie waartoe ze de familie Zorreguieta overigens niet rekent. Het is een 'politiek-vrije zone', met lessen in het Engels en het Spaans. Directrice Price is trots op de kosmopolitische vorming van de telgen van de elite. Ze worden aangemoedigd dagelijks de landelijke kwaliteitskranten in te zien, maar ook ontbreekt het er nooit aan exemplaren van *The Economist, Newsweek* en *Time*. De verslaggeefster van *Veintidós* vindt dat de school doet denken aan een universiteit uit de eerste wereld, waar Argentinië zo graag bij wil horen.

De leerlingen worden klaargestoomd voor een Bachillerato Internacional, een soort vwo-diploma waarmee ze ook op buitenlandse universiteiten terecht kunnen. Máxima is een goede leerlinge. In 1988 haalde ze haar diploma, was ze aanvoerster van het volleybalteam van de school, zat ze in de redactie van het jaarboek en schreef ze in het Engels een stuk over haar ervaringen in het voorbije seizoen. 'De meisjes gaven zich nog niet helemaal zoals het zou moeten, maar het gaat al beter dan vorig jaar,' schreef Máxima. 'Volleybal heeft meer steun nodig.'

*Nieuwe Revu* en *de Volkskrant* publiceerden deze en andere stukjes uit het jaarboek. 'Geen sterk artikel, maar wel in perfect Engels geschreven,' vond *Nieuwe Revu*. De antwoorden op het rijtje persoonlijke vragen verrieden volgens Ineke Holtwijk van *de Volkskrant* een typische adolescent. 'Toekomstige carrière: handel of boekhouding. Hobby's: muziek, skiën en vooral niks doen. Stopwoord: Básicamante, basically. Ambities: Te veel om uit te leggen.'

Máxima wordt zonder problemen toegelaten tot de Universidad Católica de Argentina (UCA) in Buenos Aires. Een verslaggever van het ANP sprak met kenners van het Argentijnse onderwijs, die het instituut hoog aanslaan. Sommige docenten herinneren zich Máxima nog als een goede studente, die afstudeerde op een scriptie over monetaire politiek in het gedachtegoed van vooral de Oostenrijkse economische school. 'Een van de beste studentes. Ze had altijd veel vragen en bleef na afloop van de colleges vaak napraten. Een heel sociaal meisje, uiterst charmant en met veel vrienden,' verklaarde haar studiebegeleider Juan Carlos Cachanosky.

Voor de studie economie staat vijf jaar. Máxima deed er anderhalf jaar langer over. Naast haar studie werkte ze bij banken in Buenos Aires, waaronder de Banco de Boston, om ervaring op te doen. Die bijbaantjes weerhielden haar niet van een indrukwekkende cijferlijst. Zo haalde ze een tien voor het vak economische wereldgeschiedenis, een negen voor vergelijkende economische systemen en studeerde ze af met een negen. 'Een heel gewoon en zeer sympathiek meisje en bovendien een goede leerling,' vertelt José Cradero, de secretaris van de faculteit economie.

Cradero was ook Máxima's docent filosofie in haar eerste en haar vierde jaar. Hij sprak tijdens zijn lessen vaak over de jaren van de smerige oorlog. Cradero kan zich geen enkele respons van Máxima voor de geest halen. Andere leerlingen, vooral in de hogere klassen, deden wel hun mond open. Ze waren het meestal eens met de militairen en verdedigden de repressie met de bekende argumenten: er was geen andere manier om de linkse terreur te bestrijden.

Cradero: 'Ik herinner me een jongen die na zo'n discussie naar me toe kwam. Zijn vader, een journalist, werd ontvoerd en keerde nooit terug. Hij staat nog steeds te boek als vermist. De jongen was blij dat er eindelijk over gepraat werd.' Volgens Cradero was de jongen een van de zeer weinige UCA-studenten van verdwenen ouders. 'Op deze universiteit zitten weinig kinderen van ouders met linkse sympathieën.'

Met haar beweerde gebrek aan interesse in de politiek lijkt Máxima een kind van haar tijd: opgegroeid in een van de meest dramatische periodes uit de Argentijnse geschiedenis, wekt ze de indruk te smachten naar een normaal leven. Haar generatie wordt wel bestempeld als apolitiek, al is dat wat gemakkelijk. Jongeren zijn sinds de val van de dictatuur ver in de meerderheid bij politieke bijeenkomsten waar in Argentinië honderdduizenden de mensen de straat voor opgaan.

Máxima zegt zich de verkiezingen van eind 1983 nog goed te herinneren. Ze was toen een beginnende puber. Tijdens de spannende, uiterst emotionele verkiezingscampagne, de eerste na de putsch van 1976, bevonden zich kinderen van die leeftijd onder de toehoorders. Vaak in gezelschap van hun ouders of andere volwassenen, vaak ook alleen. Allen even enthousiast en niet altijd even gedisciplineerd. Een fascinerende aanblik voor een verslaggever uit Europa, waar jongeren alleen al bij het horen van het woord 'politiek' moeten gapen.

Het was op de verkiezingsavond groot feest in Buenos Aires onder de aanhangers van Alfonsín. De verslagen peronisten toonden zich niet overal goede verliezers. Maar de opluchting over het officiële einde van de zeven jaar dictatuur was enorm, niemand wist toen nog wat het verwerkingsproces allemaal naar boven zou brengen. Bij gesprekken met jonge mensen die avond en nacht, die vaak voor het eerst hadden gestemd, waren buitenlandse verslaggevers verbluft over de kennis van die 'kinderen'. Ze wisten precies waarom ze op een bepaalde kandidaat hadden gestemd, hoe de één zich had gedragen tijdens de dictatuur en hoe de ander zich had laten paaien door hoge officieren met zelf politieke machtsdromen. Veel jongeren waren woedend op de peronistische politicus, een wat louche vakbondsman, goed bevriend met de militairen, die bij wijze van grap een 'doodskist' van Alfonsín had verbrand tijdens de slotmanifestatie op de avenida 9 de Julio. Dat getuigde na de wrede dictatuur wel van erg slechte smaak.

Die jongeren hadden deel uitgemaakt van menigtes die, kort voor de verkiezingsdag, tweemaal ongeveer een miljoen mensen hadden geteld. De hele avenida 9 de Julio was in beslag genomen door die kolkende zee van enthousiaste burgers.

In Argentinië kan politiek een zaak zijn van leven of dood, in elk geval van goed of fout. Zo bezien is het niet verwonderlijk dat jongeren zich ertoe voelen, of voelden, aangetrokken of, zoals het geval was met de generaties voor die van Máxima, de wapens opnamen.

Als blijvende passie heeft de politiek echter afgedaan.

Politicus is inmiddels een van de laagst aangeslagen beroepen, als gevolg van de corruptie in de hoogste regionen. Op Northlands wordt daar niet anders over gedacht: 'Onze leraar Engels zegt dat we niet zo cynisch moeten doen over politici, dat ze echt niet allemaal corrupt zijn. Maar hij is dan ook een Engelsman, hij begrijpt ons land nog niet.' Journalisten staan in tegenstelling tot de politici juist in redelijk hoog aanzien, omdat de pers zoveel corruptieschandalen aan het licht heeft gebracht.

Met het politieke onbenul van de leerlingen van Northlands valt het overigens nogal mee, constateert de journaliste van *Veintidós*. De door haar ondervraagde meisjes kenden alle ins en outs van de op dat moment lopende politiek-financiële schandalen. Om die bij te kunnen houden is nogal wat tijd, kennis en energie nodig. Een van de meisjes, een nazaat van ex-dictator Lanusse, verdedigt haar opleiding fel: 'Ze denken dat wij een stelletje verwende krengen zijn die ons diploma cadeau krijgen als onze ouders maar betalen. Flauwekul! Natuurlijk zijn sommige ouders rijk, maar andere betalen zich suf om hun kinderen hier naar toe te kunnen sturen.'

Directrice Price dringt bij *Veintidós* aan op de vermelding dat de school steeds meer leerlingen met beurzen inschrijft en dat de ongeveer elfhonderd kinderen verplicht zijn af en toe ook eens te kijken hoe de andere, zeer vele arme Argentijnen leven. Liefdadigheidswerk in arme buurten hoort erbij.

De verslaggeefster bemerkt de geringe animo om in de kantine van Northlands te eten, tegen een bedrag van vijf peso, vijf dollar. De meeste eters rond het lunchuur zijn leerkrachten, veel meisjes zijn dan uitgezwermd over Olivos. Vooral pizzeria's zijn in trek.

Moeder Zorreguieta, María del Carmen Cerruti, maakte zich volgens een redelijk serieus te nemen journaliste van een mooie-mensenblad weleens zorgen over haar oudste dochter. Een party animal, veel vriendjes, veel gereis, zou dat een serieuze potentiële echtgenoot niet afschrikken? Volgens dezelfde bron bleef Máxima echter ook in die wilde jaren met beide benen op de grond staan.

Als kind van haar tijd wist ze wat ze wilde, haar opleiding was daarop afgestemd: vrij en onafhankelijk zijn, en haar eigen geld verdienen. Na haar afstuderen vertrok ze naar de VS voor een baan bij de Duits-Britse bank Kleinwort Benson op Wall Street. In New York woonde ze in hetzelfde appartement als ene Dieter Zimmermann, al is het niet duidelijk of ze een relatie met hem had.

Zodra de relatie met de prins bekend wordt, krijgt Máxima van de bank overplaatsing naar de vestiging in Brussel. Het netwerk van de Zorreguieta's in de betere Argentijnse kringen sluit zich. De media vangen overal bot. Waar hebben Máxima en Willem-Alexander elkaar leren kennen? Bij het turven van de gissingen kwam de feria, de jaarmarkt, van 1999 in Sevilla op de eerste plaats, maar ook feesten in New York of Argentinië stonden hoog genoteerd. Het bleek Sevilla te zijn geweest.

In Argentinië hebben ook mensen die haar vader veel kwaads toewensen, het over 'dat arme kind'. Er heerst de indruk dat Nederlanders haar afwijzen vanwege het verleden van haar vader. De in Nederland gehanteerde nuances komen niet echt over. Ook leidende figuren bij organisaties voor de mensenrechten begrepen niets van de bezwaren tegen Máxima, zelfs na haar spijtbetuiging. 'Nederland beroept zich graag, en terecht, op zijn inzet voor de mensenrechten. En dan zo'n harde aanpak van een onschuldig meisje,' verwonderde zich een medewerkster van de mensenrechtenorganisatie CELS.

Het grenst aan een zekere Argentijnse tragiek, versterkt door het leven in de lange nasleep van een schrikbewind waarvan haar vader deel uitmaakte. De controverse in Nederland maakte de Argentijnen duidelijk dat zij nog steeds niet leven in een 'normaal' land, dat zij zonder uitzondering worden aangekeken op de daden van een verderfelijk regime. Dat geldt ook voor degenen die aan de goede kant hebben gestaan, vindt professor Baud. 'Ook slachtoffers werden als het ware met een deel van de schuld opgezadeld.' Máxima kan erover meepraten.

De Nederlandse constitutionele bezwaren werden en worden in Argentinië absoluut niet begrepen. De Argentijnen begrijpen niet dat de wrevel niet op de persoon Máxima is gericht, maar op het feit dat zij met haar controversiële vader de monarchie tot voorwerp van discussie heeft gemaakt. Men kan dat hun niet kwalijk nemen. Zij worden misschien niet gehinderd door al te veel kennis over de Nederlandse verhoudingen, maar dat hoeft geen nadeel te zijn. Buitenstaanders stellen immers vaak de beste vragen.

*La Nación* plaatste kort na de verloving een commentaar waaruit bleek dat eventuele Nederlandse voorlichters zich de moeite hadden kunnen besparen. Enkele passages: 'De verloving van Máxima Zorreguieta met prins Willem-Alexander stijgt uit boven een eenvoudige overeenkomst tussen twee mensen. Gaandeweg raakten er andere aspecten bij betrokken, van politieke, morele en zelfs filosofische aard.'

'Vreemd genoeg ontstond het conflict niet, zoals men misschien zou verwachten, uit de historische en institutionele verschillen tussen een monarchie als Nederland en een land met een republikeinse traditie als Argentinië. Het probleem ontstond door de houding van bepaalde groepen ter verdediging van de mensenrechten, die pogen om het voorgenomen huwelijk tussen een man en een vrouw uit te roepen tot een politieke en/of ideologische kwestie.'

'Op arbitraire en weinig rationele wijze voeren deze

groepen de rol van Maxima's vader Jorge Zorreguieta aan als argument tegen het huwelijk. De vader maakte deel uit van een regering waarvan de hoogste leiders destijds zijn veroordeeld wegens schendingen van de mensenrechten.'

'Het gedrag van deze sectoren bewijst hun autoritair politiek sektarisme, hun perverse bedoelingen. Het verantwoordelijk stellen van een jonge vrouw voor de vermeende politieke overtuigingen van haar vader – of voor zijn vermeende gedrag als lid van een regering die hij twintig jaar geleden verliet – is even verkeerd als onrechtvaardig.'

'Maar, paradoxaal genoeg, het is ook een schending van de mensenrechten. Daaronder moet, in deze tijd, toch ook worden verstaan het respecteren van ieders wens te trouwen met degene die hij of zij vrij heeft gekozen? Heeft het zin om op krampachtige, vergezochte wijze te graven in het verleden van een land op zoek naar gewelddaden of onrecht waarbij voorouders betrokken kunnen worden op een persoon die alleen maar vraagt om te kunnen beslissen over haar eigen liefdesleven?'

'Heeft het zin, bijvoorbeeld, om het zogenaamde conflict nog verder uit te diepen en de geschiedenis van Nederland te onderwerpen aan een onderzoek om te zien of ook daar onrechtmatige zaken hebben plaatsgevonden die de waardigheid van een persoon of een groep mensen hebben aangetast? Dat zou natuurlijk dwaas zijn.'

'Ondanks de zware druk wist Máxima Zorreguieta zich over de moeilijkheden heen te zetten. Ze is zelfbewust en wijs naar buiten getreden, waardoor ze de Nederlandse bevolking voor zich heeft gewonnen, zoals duidelijk werd op de dag van haar verloving.'

Máxima begreep de Nederlandse verhoudingen beter dan *La Nación*. Zij en Willem-Alexander wisten don Jorge af te brengen van zijn voornemen het huwelijk bij te wonen, volgens de reconstructie in *NRC Handelsblad*. De schandaalkrant *Gente* meldde ruim tevoren dat de prins vast van plan was met Máxima te trouwen, wat de gevolgen voor zijn rol als troonopvolger ook zouden zijn.

Nederlandse verslaggevers in Argentinië, met in de voorhoede en op het juiste moment de prensa de corazón, de pers van het hart, leken wat teleurgesteld. Of het nu de speciale verslaggevers waren van *Story* of *NRC Handelsblad*, allen merkten dat de Argentijnen aanvankelijk niet erg onder de indruk waren van de prinselijke romance met een landgenote.

Misschien verraadt die Nederlandse teleurstelling een zekere hoogmoed, alsof die mensen uit zo'n Zuid-Amerikaans ontwikkelingsland vereerd moeten zijn met de keuze van de troonopvolger uit een land met net iets meer inwoners dan Gran Buenos Aires, een land bovendien waarvan een zekere dubieuze faam ook de oevers van de Río de la Plata heeft bereikt.

Een veelgestelde vraag aan Nederlanders in Argentinië is of je in Nederland inderdaad vrij drugs in cafés kunt kopen. Het enige juiste antwoord is ja, en het blijft altijd weer de vraag of de nuances tussen hard- en softdrugs en groot- en kleinverbruik overkomen. De vriendelijke man van de kiosk in de City van Buenos Aires, op de hoek van de straten Maipú en Tucumán, trok bij de verduidelijking in elk geval een peinzend gezicht. Ook hij was niet erg onder de indruk van de eer die zijn land te beurt viel en herinnerde eraan dat een Argentijnse misschien nog steeds een kansje maakt om koningin te worden van Spanje. Een telg uit een voornaam Spaans-Argentijns geslacht, met wortels tot in de periode van de kolonisatie, had een verhouding gehad met Felipe, zoon van koning Juan Carlos. Deze had inmiddels een lange, blonde, Noorse verloofde, een fotomodel bovendien, maar de man van de kiosk had in *Caras* gelezen dat hij terugwilde naar het meisje met wie hij in elk geval zijn moederstaal vlot kon spreken.

En wisten wij wel dat Guillermo Vilas, ooit een Argentijns tennisidool, het vroeger had aangelegd met prinses Caroline van Monaco? Dat prinsdommetje was volgens deze gesprekspartner wel vergelijkbaar met Nederland. Weer een lesje in nederigheid van mensen uit een land waar wij onbewust misschien toch een beetje op neerkijken. Prins Claus sloeg de spijker op de kop toen hij in zijn prevelementje tot Máxima zei zich vooral een 'kosmopoliet' te voelen, niet zoiets beperkts als een 'Nederlander'.

Máxima knikte stralend, zoals het hoort, maar mogelijk raakten Claus' woorden juist deze Argentijnse die weleens de indruk moet hebben gekregen dat sommigen haar het toeval der geboorte kwalijk nemen.

# Bijlage

# Een korte geschiedenis
## van Argentinië

In de koloniale periode was Argentinië lange tijd een onbetekenende buitenpost, die geen plaats had in het officiële Spaanse handelsnetwerk. De slaperige provincieplaats Buenos Aires, met een bevolking van een paar duizend zielen, leefde van de illegale uitvoer van huiden en gedroogd vlees. In 1776 werd het de hoofdstad van het nieuw opgerichte onderkoninkrijk Río de la Plata, dat de zwakke zuidflank van het Spaanse rijk in Amerika moest beschermen tegen aanvallen van buitenaf.

De Argentijnse geschiedenis is doortrokken van dubbelzinnigheid. Het land is een 'neo-Europa' op het zuidelijk halfrond en de seizoenen zijn er dus omgekeerd aan de Europese. Maar het referentiekader is wel Europees: met Kerstmis bijvoorbeeld, dat in Argentinië midden in de zomer valt, sturen de mensen elkaar kerstkaarten met besneeuwde kerstbomen en andere wintertaferelen.

De koloniale geschiedenis zit vol met dergelijke tegenstrijdigheden. Officieel viert Argentinië ieder jaar op 9 juli de onafhankelijkheidsverklaring van 1816. In feite was het toen al tien jaar onafhankelijk. In 1806 vluchtte de Spaanse onderkoning uit Buenos Aires voor de Engelsen die het land waren binnengevallen. In zijn plaats kozen de inderhaast opgerichte burgermilities uit hun midden een vervanger, de Franse marineofficier Jacques Liniers. Daarmee was Argentinië feitelijk het eerste land in Spaans Amerika dat zich uit het koloniale verband losscheurde. Het was echter ook het begin van ruim twintig jaar strijd om de macht en om de definitieve politieke organisatie.

Het ging hierbij vooral om de politiek in Buenos Aires. De stad zelf liep eigenlijk op geen enkel ogenblik ernstig gevaar in handen te vallen van de vijand, de royalisten. Die zaten in Montevideo, aan de overkant van de Río de la Plata, en speelden onder één hoedje met de Portugezen. De kleine legers van de opstandelingen werden geleid door mannen als Manuel Belgrano, van Italiaanse afkomst, en werden doorgaans ingezet op grote afstand van Buenos Aires. Belgrano moest beletten dat Paraguay zich losrukte uit de revolutionaire coalitie die Buenos Aires zich inbeeldde te leiden. Toen dat mislukte, werd Belgrano naar het noordwesten gestuurd, waar hij de revolutie moest beschermen tegen troepen uit Peru. In 1812 versloeg Belgrano de vijand bij Tucumán en in 1813 bij Salta. Hierbij ging het maar om 'kleine' schermutselingen, waarbij hooguit vijftienhonderd soldaten aan iedere kant waren betrokken. Pas in 1816, toen het erop leek dat de Spanjaarden zich serieus opmaakten om de koloniale orde te herstellen, werden de zaken groots aangepakt: een congres van opstandige provincies verklaarde de onafhankelijkheid van het oude onderkoninkrijk Río de la Plata.

Zo werd Argentinië onafhankelijk onder de naam Verenigde Provincies van de Río de la Plata, een naam die was ontleend aan Holland en de overige rebellerende provincies tijdens de opstand tegen Spanje in de zestiende eeuw. Generaal José de San Martín werd benoemd tot bevelhebber van de strijdmacht waarmee de jonge staat zijn bestaan wilde consolideren. San Martín verzamelde een leger van vijfduizend man en trok daarmee vanuit de provincie Mendoza over de Andes naar Chili. Daar versloeg hij de plaatselijke koloniale troepen en hielp zo de onafhankelijkheid van Chili veilig te stellen. In 1820 trok San Martín naar Peru en legde de basis voor de onafhankelijkheid van dat land. Daarmee stelde hij ook de zelfstandigheid van Argentinië veilig. Aldus werd San Martín een belangrijke vrijheidsheld voor de Argentijnen, hoewel hij op Argentijns grondgebied nauwelijks enige wapenfeiten van betekenis op zijn naam heeft staan.

Van een Argentijnse eenheidsstaat was nog lang geen sprake. De Verenigde Provincies bestonden op dat moment uit vijftien provincies, waarvan Buenos Aires de rijkste, belangrijkste en dichtstbevolkte was. Behalve Buenos Aires waren van belang Entre Ríos, Corrientes, Santa Fe, Córdoba, Mendoza, Tucumán, Salta en Santiago del Estero. De oostelijke oever van de Río de la Plata, het tegenwoordige Uruguay, bleef min of meer deel uitmaken van de federatie tot 1828, toen het definitief zelfstandig werd. De afscheiding van Uruguay was misschien wel onvermijdelijk, omdat Montevideo een steeds fellere concurrent was geworden van Buenos Aires. Beide steden waren ook de voornaamste havens van het immense gebied, en alle invoer en uitvoer moest via een van deze twee havens plaatsvinden.

In 1829 werd Juan Manuel de Rosas benoemd tot gouverneur van de provincie Buenos Aires. Rosas, die zich een federalist noemde en een sterk centraal gezag dus afwees, heeft er vervolgens alles aan gedaan om Buenos Aires tot het politieke en economische middelpunt van de jonge republiek te maken. Rosas trok ten strijde tegen iedereen die zich tegen zijn macht verzette, liet tegenstanders vermoorden door zijn geheime politie en zijn handlangers, stelde een scherpe censuur in en liet zich door een angstige bevolking bewieroken.

Tegelijkertijd zette hij de deuren wagenwijd open voor immigranten, die met duizenden uit Europa kwamen toestromen. In 1852 werd Rosas verdreven door zijn rivaal Urquiza (van Baskische afkomst), gouverneur van de provincie Entre Ríos, die eropuit was de overheersende positie van Buenos Aires uit te schakelen. Rosas had evenwel inmiddels de basis gelegd voor een moderne eenheidsstaat op federale grondslag, die alleen nog tijdens de kostbare Paraguay-oorlog (1864-1870) met uiteenvallen werd bedreigd. In deze oorlog sneuvelden meer dan 20 000 Argentijnse soldaten. Sommige provincies in het binnenland maakten van de gelegenheid gebruik om hun bedreigde autonomie te herwinnen, wat leidde tot een burgeroorlog met duizenden slachtoffers. De indianen die op de pampa rondzwierven, zagen hun kans ook schoon en plunderden afgelegen boerderijen en grensplaatsjes. Daar kwam nog eens bij dat na afloop van de Paraguay-oorlog in Buenos Aires een epidemie van gele koorts uitbrak, die ook nog eens tienduizenden slachtoffers eiste. De politiek was echter genormaliseerd en bleek goed te kunnen functioneren op basis van een moderne grondwet (1853), en met politici van indrukwekkend kaliber, zoals Bartolome Mitre en Domingo F. Sarmiento.

Pas na 1880 werd een serieus begin gemaakt met de modernisering van politiek, economie en maatschappij. Onder president Julio Argentino Roca, die in 1880 was gekozen, werd de basis gelegd voor een nieuw en welvarend Argentinië. Als bevelhebber van het leger had Roca in 1879 de pampa-indianen grotendeels uitgeroeid. De schaarse overlevenden vluchtten naar Chili. Nu konden de pampa's in het zuiden van de provincies Buenos Aires en Córdoba geschikt worden gemaakt voor economische exploitatie. Het waren echter vooral de rijke vrienden van Roca, doorgaans grootgrondbezitters, die profiteerden van deze gebiedsuitbreiding.

Het jaar 1880 was een keerpunt in de Argentijnse geschiedenis, omdat de 'autonomisten' van Buenos Aires toen voor de laatste keer probeerden om hun provincie afgezonderd te houden van de rest van het land. Dat resulteerde in een burgeroorlog, waarbij de 'porteño-autonomisten' onder Carlos Tejedor ten slotte werden verslagen door het leger onder Roca. In 1880 bewees deze sluwe tacticus dat hij op alle terreinen de sterkste was, en dat iedereen in hem zijn meerdere moest erkennen. Tot aan zijn dood in 1906 was het in feite Roca die het lot van Argentinië bepaalde. Hij bouwde een stabiel politiek systeem, de 'conservatieve orde', waarbij hij een evenwicht wist te bewaren tussen de belangen van de elite van Buenos Aires en de verschillende provinciale elites, voornamelijk in Córdoba, Tucumán en Mendoza.

Het landsbestuur werd grondig gemoderniseerd. In 1884 werd wet nummer 1420 aangenomen, waarbij gratis onderwijs werd aangeboden aan jongens en meisjes op staatsscholen. Kort daarop werd het burgerlijk huwelijk van kracht. Door beide maatregelen werd de macht van de rooms-katholieke kerk flink aangetast. Tot dat moment had de kerk namelijk de verantwoordelijkheid gedragen voor het bijhouden van het bevolkingsregister, en daarbij een groot deel van het onderwijs voor haar rekening genomen. Het betekende ook dat de overheid nu moest gaan zorgen voor de opleiding en werving van docenten en ambtenaren. Veel ambtenaren waren nodig voor de bemanning van de snel groeiende ministeries.

De regering zorgde ook voor de modernisering, professionalisering en uitbreiding van de strijdkrachten. In de jaren zestig van de negentiende eeuw was er al een militaire academie in het leven geroepen onder majoor Janosz Czetz, een Hongaarse nationalist die naar Argentinië was gevlucht nadat hij aan de opstand van 1848 tegen de Habsburgers had deelgenomen. Omstreeks 1900 werd het onderwijs aan de cadetten toevertrouwd aan Pruisische (Duitse) officieren. Wie zich op de hoogte wilde stellen van het nieuwste van het nieuwste op militair gebied, kwam bijna vanzelfsprekend in Berlijn terecht. De opleiding van de marineofficieren berustte deels op Engelse adviseurs, omdat Engeland het leidende land was op het gebied van de marine. Het leger werd grondig gereorganiseerd, goed opgeleid, uitstekend getraind en voorzien van het modernste materieel.

In 1904 werd de algemene dienstplicht ingevoerd. Het was eerder een instrument om de vorming van een nationaal saamhorigheidsgevoel te bevorderen dan een uit militaristische overwegingen ontstane oplossing. Het leger fungeerde eveneens als een 'school der natie', want rekruten die niet konden lezen en schrijven, moesten dat in dienst alsnog leren. Zo was het leger ook een werktuig om de volksontwikkeling te verhogen. Voor de verdediging van de landsgrenzen was het leger, ook naar het oordeel van de eigen leiding, op dat moment nauwelijks geschikt. Zeker niet als het zou moeten vechten tegen Chili, en die kans was niet gering. Omstreeks 1900 hadden Argentinië en Chili hoogoplopende onenigheid over de gemeenschappelijke grens, en velen hielden ernstig rekening met een openlijke oorlog tussen de twee landen.

In 1880 werd ook de hoofdstad Buenos Aires bestuurlijk afgescheiden van de gelijknamige provincie, waarmee een lang slepend conflict tussen federale en provinciale autoriteiten eindelijk werd opgelost. De provincie Buenos Aires kreeg in 1882 een nieuwe hoofdstad: La Plata, op zestig kilometer afstand van Buenos Aires. Binnen enkele jaren werd hier een moderne stad uit de grond gestampt, compleet met een gotische kathedraal en een gouvernementspaleis in renaissancestijl. Buenos Aires zelf werd ook gemoderniseerd. Riolering en waterleiding werden aangelegd, telefoonlijnen, een fijnmazig tramwegennet en een nieuwe haven. Overal in het land werden oude steden gemoderniseerd en nieuwe gebouwd. Vandaag de dag is nog steeds goed te zien aan stratenplannen en de architectuur dat veel steden in de periode 1880-1914 een grote bloeiperiode hebben doorgemaakt. In korte tijd werd het hele land grondig getransformeerd. Tienduizenden kilometers spoorweg werden aangelegd, de pampa werd omgeploegd en veranderd in een akkerbouwgebied dat graan leverde voor de Europese markt. Op de weidegronden moesten de oude 'creoolse' runderen – magere scharminkels met gevaarlijke kromme hoorns – plaats maken voor bijzondere schapensoorten, die betere wol in grotere hoeveelheden leverden, en voor gespecialiseerde runderrassen uit Europa: Aberdeen-Angus, Hereford, Fries stamboekvee, Holsteiners en Charolais.

Hier werd ook hoofdzakelijk geproduceerd voor de Europese markt. Het traditionele leefmilieu van de gaucho verdween voorgoed. Voorbij was de tijd dat hij onbekommerd het land kon doorkruisen en alleen kon vertrouwen op zijn zintuigen, zijn mes en zijn paard. Veel gaucho's trokken naar Buenos Aires en kwamen terecht in een crimineel voorstadsmilieu. Anderen bleven op het land en verhuurden zich als knecht aan de estancieros. Deze adel zonder titels, maar met klinkende namen als Anchorena, Paz, Pereda en Martínez de Hoz, is wat betreft status en rijkdom alleen te vergelijken met geslachten als Vanderbilt en Rockefeller in de vs.

Miljoenen Europese immigranten, onder wie slechts een handjevol Nederlanders, vonden hun weg naar Argentinië. Dankzij de grote toestroom van landverhuizers heeft de Argentijnse bevolking definitief een ander aanzien gekregen. Tegenwoordig is Argentinië daardoor grotendeels een 'Europees' land. In de hoogtijdagen van handel en immigratie was dat Europese karakter nog veel duidelijker en sterker. In alle opzichten was het land met Europa verbonden: de meeste handel vond plaats met Europa, de meeste immigranten kwamen ervandaan en de meeste investeringen waren afkomstig uit Europa. De elite hield er vakantie en verbraste er het familiekapitaal. Meer dan veertig Europese rederijen onderhielden regelmatige diensten op Buenos Aires. Met uitzondering van New York en omgeving was geen enkel ander deel van de wereld zo nauw met Europa verbonden als Buenos Aires. Omstreeks 1900 nam Argentinië in zijn eentje meer dan de helft van de totale buitenlandse handel (in- en uitvoer) van heel Latijns-Amerika voor zijn rekening.

In feite was Argentinië een onderdeel van de Europese economie. Vaak wordt gedacht dat Argentinië vooral op financieel en economisch gebied niet zozeer met Europa, als wel met Engeland was verbonden, met Italië vooral door de massale immigratie, en met Frankrijk door de cultuur. Dat is maar een halve waarheid. In feite was Engeland het doorgeefluik voor de handel tussen West-Europa en Argentinië. De handel met het Europese vasteland was immens, vooral met Duitsland, Frankrijk, België, Oostenrijk en Italië. De samenstelling van het handelsverkeer is echter nog maar nauwelijks in kaart gebracht, met als gevolg dat eenieder steeds maar weer dezelfde beweringen over de Engelse connectie herhaalt. Italië leverde inderdaad het leeuwendeel van de landverhuizers, maar die kwamen in drommen uit alle Europese landen. Wat de cultuur betreft is het juist te zeggen dat Frankrijk van doorslaggevend belang was, maar de culturele betrekkingen met bijvoorbeeld Italië en Spanje waren eveneens bijzonder sterk.

De banden met Europa kwamen sterk onder druk te staan tijdens de Eerste Wereldoorlog. Argentinië moest toezien hoe zijn handelspartners bijna van de ene op andere dag met elkaar in oorlog raakten. Als gevolg droogde de handel grotendeels op. De spoorwegen liepen grotendeels op Engelse steenkool. Die werd na het uitbreken van de oorlog niet meer ingevoerd, zodat het railvervoer in ernstige problemen geraakte. Aan bijna alles ontstond gebrek, maar dat was wel een aansporing voor Argentijnse ondernemers om zelf de goederen te gaan produceren die niet meer uit Europa konden worden ingevoerd.

De Eerste Wereldoorlog had ook grote culturele en sociale gevolgen. Iedere Argentijn had wel een familielid uit een van de oorlogvoerende naties, of was zelf in Europa geboren. De strijd in de loopgraven van het verre Europa had dus ook gevolgen voor het privé-leven van talloze Argentijnen. De oorlog maakte echter aan alle burgers duidelijk dat ze behoorden tot een aparte natie, met een eigen toekomst, en met een eigen verleden. Met andere woorden, als gevolg van de Eerste Wereldoorlog kreeg het nationale gevoel van de Argentijnen een krachtige impuls. Het is zelfs niet overdreven om te zeggen dat het nationale gevoel in die tijd pas ontstond.

De politieke rechten in Argentinië werden aanzienlijk uitgebreid met de invoering van het algemeen kiesrecht voor mannen in 1912. In 1916 vonden de eerste verkiezingen plaats volgens de nieuwe kieswet: zo'n 650 000 stemgerechtigden (op een totale bevolking van ongeveer acht miljoen) gingen naar de stembus. Met ruime meerderheid werd Hipólito Yrigoyen (van Frans-Baskische afkomst) van de Unión Cívica Radical (UCR) tot president gekozen. De UCR, de oudste politieke partij van Latijns-Amerika, was een nieuw verschijnsel. De leiders kwamen voort uit de oude aristocratie, zo niet door afkomst, dan wel door huwelijk of zakelijke en professionele banden.

De UCR onderhield echter ook intensieve contacten met het gewone volk, waar immers de meeste stemgerechtigden toe behoorden. Die contacten werden dikwijls onderhouden door schimmige figuren, die niet altijd van onbesproken gedrag waren. Wel waren ze essentieel voor de partij, omdat ze ervoor zorgden dat mensen naar het stemlokaal gingen en hun stem uitbrachten op de UCR. Het verkiezingsprogramma van de UCR was gematigd reformistisch. Op geen enkele manier wenste de partij namelijk de basis van de samenleving en economie te ondergraven. De reden dat veel oudere aristocraten en aartsconservatieven de UCR beschouwden als een soort vermomde socialistische partij, is dat Yrigoyen en de andere leiders zich lieten omringen door volkse types. Het was dan ook vooral de politieke stijl van de UCR, die brak met het verleden. Het was, kortom, de eerste moderne massapartij in Latijns-Amerika. Toch was van meet af aan het partijprogramma niet zo belangrijk als de persoon van de leider. Een groot deel van de angst bij de conservatieve elite is dan ook waarschijnlijk te verklaren uit onzekerheid tegenover de motieven van Yrigoyen en de richting waarin hij zijn volgelingen zou kunnen meeslepen.

Op grond van de politiek was er niet erg veel waarop de conservatieven Yrigoyen konden aanvallen. De UCR kwam midden in de Eerste Wereldoorlog aan de macht. Ze hield zich zeer op de vlakte en zette de politiek van de voorgaande regeringen voort.

De ontwikkeling van een eigen industrie zorgde voor een verschuiving op de arbeidsmarkt: het aantal industriearbeiders nam flink toe. Ook werd de positie van ondernemers ten opzichte van de traditionele grondbezittende klasse versterkt. De allerinnigste verhouding met Engeland kwam door de economische veranderingen tijdens de wereldoorlog ook onder druk te staan, omdat Argentinië concurrerende producten uit de VS was gaan importeren.

Hoewel Argentinië zelf niet deelnam aan de oorlog, bleef het niet gespaard voor de gevolgen: de oorlog had helpen verhullen dat de wereldeconomie aan de vooravond van de strijd gebukt ging onder een structurele overproductie, maar toen de economie zich na de wapenstilstand weer begon te normaliseren, leidde dat in sommige bedrijfstakken tot een prijsval. Dat was bijvoorbeeld het geval in de productie van wol, waarvan Argentinië een van de grootste leveranciers ter wereld was. Dit leidde ertoe dat enkele duizenden arbeiders op de grote schapenestancias in Patagonië werden geconfronteerd met loonsverlaging en slechtere arbeidsvoorwaarden. Een in 1922 uitgebroken staking werd bloedig onderdrukt door een inderhaast uitgestuurde legereenheid. Naar schatting vijftienhonderd mensen werden gedood.

In Buenos Aires zelf kwam het in 1919 tot een staking van havenarbeiders, die oversloeg naar andere sectoren en uitmondde in een algemene staking, die het hele openbare leven gedurende meer dan een week volledig verlamde. Conservatieve en reactionaire Argentijnen waren ervan overtuigd dat, net als in Rusland en andere landen van Europa, nu ook in Argentinië de revolutie was uitgebroken. Zij vormden gewapende groepjes en gingen de straat op. Daarbij werden ze gesteund door de politie en het leger. Tijdens de 'tragische week' vielen tientallen doden. De UCR (en vooral Yrigoyen) kreeg het verwijt de chaos te hebben veroorzaakt door een onverantwoordelijke politiek.

Daarmee was de basis gelegd voor een politieke tweedeling die tot de jaren negentig van grote invloed was voor de verdere geschiedenis van Argentinië. Het waren twee fundamenteel onverzoenlijke kampen, ieder met een vastomlijnd idee van hoe het land eruit zou moeten zien en op welke manier het bestuurd zou moeten worden. Zolang het economisch min of meer goed ging, was die tegenstelling niet al te problematisch. Daarom bleven de politieke tegenstellingen gedurende de rest van de jaren twintig nog grotendeels onder de oppervlakte verborgen. De UCR bestuurde het land min of meer tot tevre-

denheid van een meerderheid, en werd bij de presidentsverkiezingen van 1922 en 1928 massaal door de kiezers
gesteund. In 1928 werd Yrigoyen, die toen al 78 jaar oud
was, opnieuw gekozen als president.

In 1930 werd ook Argentinië getroffen door de gevolgen van de wereldcrisis die het jaar daarvoor was begonnen met de beurskrach van New York. Net als de meeste
andere Latijns-Amerikaanse economieën kreeg de Argentijnse het zwaar te verduren, omdat het land sterk afhankelijk was van de uitvoer van maar enkele producten.
Voor Argentinië waren de moeilijkheden extra ernstig,
omdat het de grootste economie van Latijns-Amerika had
en omdat het van alle landen in het werelddeel het wel-
varendst was. Een daling van de export had ernstige gevolgen voor de politieke verhoudingen, vooral met het
oog op de manier waarop de inkomsten moesten worden
verdeeld. Zolang de economie groeide en min of meer gelijke tred kon houden met de bevolkingsaanwas, kon het
binnenlandse politieke evenwicht worden bewaard. In
1930 leek dat evenwicht in gevaar te komen.

Onder de leden van de conservatieve elite was het vertrouwen in Yrigoyen nooit erg groot geweest, maar nu
leek hij in het geheel niet opgewassen tegen de nieuwe
problemen. Op 6 september greep het leger de macht en
zette de president af.

De leider van deze eerste staatsgreep in Argentinië in
de twintigste eeuw, generaal José Félix Uriburu, werd
president. De nieuwe regering bestond grotendeels uit
burgers die behoorden tot de conservatieve elite, ook
vaak aangeduid met oligarchie. Ogenblikkelijk werden
allerlei repressieve maatregelen genomen, vooral gericht
tegen de UCR en haar aanhang. De nieuwe machthebbers
wilden het politieke bestel grondig vernieuwen, met uit-
sluiting van de UCR. Vreemd genoeg waren ze niet bang
voor het socialisme. De kleine Socialistische Partij re-

kruteerde haar aanhang vooral onder de gegoede midden-
stand en was alleen in Buenos Aires sterk. Bij de verkiezingen van 1928 hadden de socialisten slechts 64 000
stemmen, nog geen vijf procent van het totaal, gekregen.
Hun leider, de arts Palacios, werkte al snel nauw samen
met het nieuwe bewind.

In 1932 stierf president Uriburu. Hij werd opgevolgd
door generaal Agustín P. Justo, een voormalig minister
van Oorlog onder Yrigoyen. Om de groei van de linkse
oppositie de wind uit de zeilen te nemen besloot Justo in
1934 een moderne arbeidswetgeving in te voeren. Het
moderne weekeinde deed zijn intrede toen de 'Engelse
zaterdag', de vrije zaterdagmiddag, werd ingevoerd. Verder werd het loon doorbetaald bij ziekte en kregen de arbeiders jaarlijkse vakanties. Werklozen konden aanspraak maken op een uitkering.

Met de politieke rechten was het minder gunstig gesteld. De UCR bleef voorlopig van deelneming aan verkiezingen uitgesloten, en Justo en zijn vrienden regeerden
met medewerking van de overige partijen. Het land raakte doortrokken van een sfeer van corruptie, cynisme en
sombere toekomstverwachtingen. Tal van leidende culturele en politieke figuren pleegden in deze periode zelf-
moord, zoals de dichter Leopoldo Lugones, de dichteres
Alfonsina Storni en senator Lisandro de la Torre. Door de
onverwachte dood van anderen, zoals de populaire tan-
gozanger Carlos Gardel, die in 1935 bij een vliegtuigonge-
luk in het Colombiaanse Medellín om het leven kwam,
kreeg het leven een extra sombere omfloersing.

De economie begon zich na 1935 echter te herstellen
van de klappen van de wereldcrisis. Het herstel kon niet
goed worden doorgezet omdat in september 1939 opnieuw oorlog uitbrak in Europa. Hoewel Argentinië inmiddels zijn handelsrelaties had gediversifieerd, bleef het
nog altijd sterk op Europa gericht, maar nu vooral met

landen als Duitsland, Nederland (een van de belangrijkste handelspartners), Frankrijk, België en Italië. De oriëntatie op het Europese vasteland was dus eerder versterkt dan verzwakt. Dit was de reden dat Argentinië ook in 1939 neutraal wilde blijven. De Argentijnse neutraliteit kwam ook de Engelsen goed uit, omdat in werkelijkheid Argentinië op grote schaal goederen kon blijven leveren aan Engeland, en wel op krediet.

Na de Japanse aanval op de Amerikaanse vloot in Pearl Harbor op 7 december 1941 kwam Argentinië onder sterke druk te staan om alsnog de oorlog te verklaren aan Duitsland, Italië en Japan. De regering weigerde echter categorisch om de politiek van strikte neutraliteit te verlaten. De betrekkingen met de vs werden er niet beter door. Steeds sterker werden de verdenkingen tegen de Argentijnse regering, en vooral tegen de strijdkrachten, dat deze in wezen uit pro-Duitse overwegingen handelden.

In 1943 grepen militairen onder leiding van generaal Ramírez de delicate buitenlandse positie van het land aan als rechtvaardiging voor een staatsgreep. Binnen het nieuwe militaire bewind trad kolonel Juan Domingo Perón al snel op de voorgrond, een officier die wat betreft verschijning en gedrag een scherp contrast liet zien met het gebruikelijke beeld van de militair. Als leider van een geheime club binnen het leger, de GOU, oefent Perón grote invloed uit op veel van zijn collega's. Al spoedig werd Perón de belangrijkste figuur van het militaire bewind. Hij slaagde erin, via de functie van staatssecretaris van Arbeid, een speciale band te smeden met de belangrijkste vakbonden.

In 1944 werd Perón vice-president en ook vanuit deze functie, die overigens in Argentinië nooit van grote betekenis is geweest, wist hij zijn positie verder te verstevigen, onder andere door vaak in het openbaar te verschijnen en de bevolking geregeld via de radio toe te spreken.

Perón werd de enige militaire politicus met een nationale populariteit.

Buiten Argentinië waren de meningen over Perón verdeeld. Vooral in de vs was er veel wantrouwen jegens hem. Daar werd beweerd dat Perón grote sympathie koesterde voor het fascisme en dat hij van plan was om in Argentinië een soortgelijk regime te installeren. Inderdaad had Perón, toen hij kort voor het uitbreken van de Tweede Wereldoorlog in Italië was gestationeerd als militair attaché, goed gekeken naar allerlei aspecten van het fascistische regime van Mussolini. Hij was vooral onder de indruk van de manier waarop de Duce in staat was het Italiaanse volk te bezielen en te verenigen om een groot nationaal doel te kunnen realiseren.

De beschuldigingen dat Perón een bewonderaar was van Adolf Hitler, zijn sterk overdreven. Perón was hooguit, net als de meeste andere Argentijnse militairen, onder de indruk van de Duitse militaire traditie. Het Argentijnse leger was sinds omstreeks 1900 getraind door Duitse militaire adviseurs en veel Argentijnse officieren hadden een opleiding gekregen aan de Kriegsakademie in Berlijn.

De grote populariteit van Perón, die wegens de brede glimlach op zijn gezicht ook bekendstond als 'Coronel Kolynos' (naar een bekend merk tandpasta), baarde de Argentijnse legerleiding steeds meer zorgen. Zo sterk, dat het oppercommando in 1945 probeerde om hem te verwijderen uit de politieke arena. Hij werd op vage verdenkingen gevangengezet, maar dankzij een massale demonstratie van arbeiders moest hij al na een paar dagen weer op vrije voeten worden gesteld. Hierna kon niemand Perón de weg naar de macht nog versperren.

Toen Perón in 1946 werd geïnstalleerd als president, had hij grote plannen voor Argentinië. Hij werd gesteund door een overweldigende meerderheid van de kiezers en door belangrijke sectoren van de maatschappij. Hij had de steun van het leger, de kerk, de arbeiders, de industriëlen en de middenklasse. Hij was ervan overtuigd dat de Tweede Wereldoorlog binnen afzienbare tijd een vervolg zou krijgen, en dat Argentinië daarop goed voorbereid moest zijn. Dat kon alleen maar dankzij een moderne en efficiënte industrie die het land van alles zou kunnen voorzien waaraan het in geval van een nieuwe wereldoorlog behoefte zou kunnen hebben.

Om diezelfde reden vond Perón dat Argentinië zich niet te zeer moest binden aan de vs, maar juist moest proberen goede relaties met de belangrijkste staten te onderhouden. Om die reden knoopte hij diplomatieke betrekkingen aan met de Sovjet-Unie. Het maakte het bewind van Perón er in de vs niet geliefder op, en de Amerikaanse campagne tegen hem nam dan ook steeds heftiger vormen aan. Uit deze periode stamt de hardnekkige gedachte dat Argentinië bij uitstek een geliefd toevluchtsoord zou zijn voor Duitse oorlogsmisdadigers en nazi's: er vluchtten natuurlijk honderden van dergelijke lieden naar Argentinië, net zoals er velen vluchtten naar Brazilië en Spanje, maar ook naar Engeland, Frankrijk en de vs zelf. Net als in de vs en Engeland konden nazi's met bijzondere kennis en/of vaardigheden in Argentinië meteen aan de slag, omdat de regeringen hoopten dat ze een nuttige bijdrage konden leveren ten dienste van de nationale veiligheid. De propaganda van de vs heeft er echter steeds de nadruk op gelegd, dat Argentinië pas in februari 1945 na lang aandringen de oorlog heeft verklaard aan Duitsland en Japan en dat nazi-misdadigers vooral in Argentinië op een warm onthaal konden rekenen.

De officiële ergernis van de vs jegens Argentinië was eigenlijk het enige obstakel waarmee het land in de eerste naoorlogse jaren te kampen had. Economisch ging het voor de wind, omdat juist in de jaren 1945, 1946 en 1947 recordoogsten aan maïs en tarwe werden binnengehaald. In dezelfde jaren verliep de wederopbouw van de Europese economie uiterst moeizaam: de bevolking was hongerig en de landbouw had zich nog niet kunnen herstellen van de oorlogsschade, ook al omdat de winters net in die jaren buitengewoon streng uitvielen, met zware sneeuwval en lange vorstperioden. Daarom kochten Europese regeringen op grote schaal voedsel in Argentinië en betaalden daarvoor met hun laatste resten deviezen. Met dit geld, en met het geld waarmee de Engelsen tijdens de oorlog hun invoer uit Argentinië hadden betaald, kon Perón vervolgens een kostbare politiek van overheidsgestuurde economische ontwikkeling betalen.

De Engelse tegoeden werden deels gebruikt om de 45 000 kilometer spoorweg te nationaliseren, waarvan vijfenzeventig procent in handen was van Engelse investeerders. Met een ander deel werden moderne gevechtsvliegtuigen met straalmotoren in Engeland gekocht, zeer tegen de wens van de vs, die uiterst bezorgd waren over de opbouw van een militair apparaat in Zuid-Amerika waarover ze geen zeggenschap hadden.

Het prestige van Argentinië en zijn president in Latijns-Amerika was in die dagen bijzonder groot, zowel bij andere regeringen als bij de bevolking. In eigen land brak de populariteit van Perón alle records. Het ging op alle fronten zichtbaar goed. De democratie werd versterkt door de invoering van het kiesrecht voor vrouwen. De economie leek ijzersterk, de arbeidsomstandigheden (in de industrie) werden sterk verbeterd als gevolg van moderne wetgeving, de lonen stegen (ook door de invoering van een dertiende maand), en het besteedbaar inkomen was nog nooit zo hoog geweest. Een nieuwe immigratiegolf met honderdduizenden nieuwkomers (vooral afkomstig uit Italië) kwam op gang, en Argentinië gold als een lichtend voorbeeld voor tal van landen buiten Europa en

Noord-Amerika. Argentijnse sportlieden behaalden het ene succes na het andere, of het nu op de Olympische Spelen was, bij het boksen, het autoracen of het voetbal.

De hoofdstedelijke voetbalcompetitie van Buenos Aires, met een tiental clubs van wereldniveau, werd beschouwd als de sterkste ter wereld: de immense stadions zaten bij elke wedstrijd vol. Onderwijs en wetenschap konden zich meten met tal van andere landen, waaronder ook veel landen in Europa. In 1947 kreeg de Argentijnse geleerde Bernardo Houssay als eerste Latijns-Amerikaan een Nobelprijs voor een 'echte' wetenschap, namelijk fysiologie. De bioscopen trokken volle zalen met Argentijnse films van vaak uitstekende kwaliteit, en op de radio werd voornamelijk Argentijnse muziek ten gehore gebracht. Iedere uitgaansgelegenheid van enig niveau bood haar klanten amusement in de vorm van levende muziek. Het waren de gouden jaren van de tango, met honderden verschillende orkesten. Op alle terreinen leek Argentinië tot de voorhoede te behoren. In de woorden van de Argentijnse historicus Félix Luna was Argentinië in 1945 een feest, en dat bleef het – voor een meerderheid – ten minste tot 1949.

Daarna ging het bergafwaarts: de landbouw was in feite lang verwaarloosd, de oogsten daalden, de buitenlandse markten sloten zich. Perón had de consumptie wel verhoogd, maar had nauwelijks geïnvesteerd in productiecapaciteit. In de loop van de jaren vijftig begon dit beleid zich te wreken. Steeds meer was Perón genoodzaakt zich op de steun van de vakbonden te verlaten. Met het leger had hij ruzie omdat de militairen boos waren vanwege de prominente rol van Evita, met de kerk kreeg hij ruzie omdat hij echtscheiding wilde legaliseren, de steun van de middenklasse viel weg omdat de economie in het slop raakte.

Het spookbeeld van een burgeroorlog leek steeds dichterbij te komen, omdat de tegenstellingen steeds meer verscherpten. Na de dood van Evita in juli 1952 raakte Perón steeds verder vervreemd van de maatschappij. Hij probeerde zijn bewind steeds duidelijker via allerlei dwangmiddelen in het zadel te houden. Op 19 september 1955 maakte een militaire staatsgreep een einde aan zijn heerschappij.

Hierna probeerden de militairen en hun civiele bondgenoten (vooral de radicalen van de UCR) uit alle macht de invloed van het peronisme in te dammen en een terugkeer van Perón in de politiek te verhinderen. Perón kwam via ballingschap in Venezuela en de Dominicaanse Republiek begin jaren zestig terecht in Spanje, waar hij van dictator Francisco Franco een gastvrij onthaal kreeg. Perón bleef in Madrid wonen tot 1973.

In Argentinië gaven de militairen de macht eerst voorzichtig terug aan de burgers, maar ze bleven wel een oogje in het zeil houden. Telkens wanneer ze vonden dat er gevaar was dat het peronisme weer de kop op stak, grepen ze in, zoals in 1962 en 1966.

Begin jaren zeventig bleek dat het echt onmogelijk was om de peronisten buiten de politiek te houden. Inmiddels was er een gewapende ondergrondse guerrilla ontstaan, die de strijd aanbond met de staat door aanvallen op politieposten en kazernes en aanslagen op hoge officieren en hun gezinnen. De enige oplossing leek een terugkeer van het peronisme in de politiek. Langs deze achterdeur kon Perón zelf openlijk terugkeren en opnieuw tot president worden gekozen. Nauwelijks was hij echter herkozen, of hij werd ziek. Hij overleed op 1 juli 1974. Onder zijn weduwe Isabel, die hem was opgevolgd en iedere vorm van leiderscapaciteit miste, raakten de politiek, de maatschappij en de economie volkomen op drift. Argentinië was feitelijk onbestuurbaar geworden.

Op 24 maart 1976 grepen de militairen weer in, ditmaal vastbesloten het land voor eens en voor altijd van zijn kwalen te genezen, en wel met harde hand. De militairen vestigden een spijkerharde dictatuur die haar werkelijke en vermeende vijanden meedogenloos te lijf ging. Duizenden mensen hebben daarvoor met hun leven betaald. Het economisch herstel waar vurig op gehoopt werd, bleef echter uit. De militairen moesten van het toneel verdwijnen toen ze faalden in hun poging de Falklandeilanden, waarop Argentinië al meer dan 150 jaar aanspraak op maakte, op de Britten te heroveren. Hierdoor werd wel de weg vrijgemaakt voor een herstel van de democratie in het land. In 1984 werd Alfonsín tot president gekozen. Hij zette zich in voor het herstel van normen en waarden en zorgde ervoor dat de hoofdschuldigen van schendingen van de mensenrechten tijdens het militaire bewind werden berecht.

Evenmin als zijn voorgangers, zowel burgers als militairen, bleek Alfonsín in staat de Argentijnse economie te saneren en de basis te leggen voor een nieuwe, broodnodige groeiperiode. Het was allang duidelijk dat de traditionele economische structuur moest worden aangepast, en dat het economisch nationalisme dat sinds Perón het leidende principe was geweest, veel te kostbaar was. Een van de centrale problemen van na de Tweede Wereldoorlog bleef daarmee nog altijd onopgelost. Weliswaar was duidelijk geworden dat de oplossing lag in de opening van de economie en de afschaffing van het protectionisme, maar de tegenstand was vooralsnog enorm. Het felste verzet kwam van de machtige vakbonden, tegen wier ijzeren wil nog geen enkele president voor langere tijd bestand was geweest.

Toen Alfonsín in 1989 voortijdig aftrad en de presidentiële sjerp overhandigde aan de peronist Carlos Menem, had niemand kunnen vermoeden dat juist hij de economie in neoliberale zin zou hervormen. Toch is dat wat

Menem voor elkaar heeft gekregen: de grote (merendeels onrendabele) staatsbedrijven werden verkocht, het pensioenstelsel werd gesaneerd, voor het eerst werd inkomstenbelasting op grote schaal geïnd. De macht van de vakbonden werd gebroken. Het verziekte monetaire stelsel werd gesaneerd door de peso converteerbaar te maken en paritair aan de Noord-Amerikaanse dollar te koppelen. Dit was de hoeksteen van het economisch beleid dat Menems minister van Economische zaken Domingo Cavallo had uitgedokterd.

Aanvankelijk waren de resultaten indrukwekkend. Inefficiënte sectoren en bedrijven verdwenen door de buitenlandse concurrentie, de handel bloeide op, buitenlandse investeringen stroomden het land binnen. Inmiddels traden echter de nadelen van het beleid van Menem en Cavallo steeds duidelijker aan de dag; het geldwezen was weliswaar gezond, maar de Argentijnse export werd bemoeilijkt door de hoge koers van de dollar en daarmee ook de peso. Bijna alle staatsbedrijven werden verkocht. Een op de vijf Argentijnen zat zonder werk. De eens grote middenklasse brokkelde af. Zeven miljoen mensen leefden onder het bestaansminimum. Sociale spanningen, misdaad en onveiligheid op straat namen toe. De arme bevolking blokkeerde wegen en riep om brood en werk.

Menem heeft dan wel ernstige problemen opgelost, maar dus ook nieuwe gecreëerd. De nieuwe president, de radicaal Fernando de la Rúa (aangetreden in 1999), kon de problemen niet oplossen. Daarom deed hij begin 2000 een beroep op Menems vroegere minister van Economische zaken, Cavallo, die vergaande volmachten heeft gekregen. Argentinië nadert zijn tweehonderdste verjaardag als een land in diepe crisis, met een roemrijk en soms pijnlijk verleden, en met een uiterst onzekere toekomst.

# Literatuur

Abadi, José & Mileo, Diego, *No somos tan buena gente*, Buenos Aires 2000

Baud, Michiel, *Militair geweld, burgerlijke verantwoordelijkheid. Argentijnse en Nederlandse perspectieven op het militaire bewind in Argentinië*, Den Haag 2001

Bauducco, Gabriel, *Hebe, la otra mujer*, Buenos Aires 1994

Béarn, Georges, *La décade péroniste*, Parijs 1973

Bonasso, Miguel, *Diario de un clandestino*, Buenos Aires 2001

Bonasso, Miguel, *Recuerdo de la muerte*, Buenos Aires 1984; *Herinnering aan de dood*, Den Haag 1989

Dujovne Ortiz, Alicia, *Eva Perón, la biografía*, Buenos Aires 1995

Gregorich, Luis, *La república perdida*, Buenos Aires 1983

Kalfon, Pierre, *L'Argentine*, Parijs 1980

Kon, Daniel, *Los chicos de la guerra*, Buenos Aires 1982

Luna, Félix, *Perón y su tiempo*, Buenos Aires 1986

Moreno Ocampo, Luis, *Cuando el poder perdió el juicio*, Buenos Aires 1996

Rotenberg, Abrasha, *La Opinión amordazada*, Buenos Aires 2000

Sáenz Quesada, María, *Los estancieros*, Buenos Aires 1980

Schneier-Madanes, Graciela & Salinas, Marta, *Buenos Aires, port de l'extrême-Europe*, Parijs 1987

Scobie, James R., *Argentina, a city and a nation*, New York
1971
Seoane, María & Muleiro, Vicente, *El Dictador*, Buenos
Aires 2001
Vogel, Hans Ph., *Geschiedenis van Latijns-Amerika*,
Utrecht 1997

d